海外漢文古醫籍精選叢書・第三輯

2011—2020年國家古籍整理出版規劃項目
2018年度國家古籍整理出版專項經費資助項目
中國中醫科學院「十三五」第一批重點領域科研項目
——我國與「一帶一路」九國醫藥交流史研究（ZZ10-011-1）

蕭永芝◎主編

傷寒論繹解 貳

〔日〕柳田濟 注

9

北京科学技术出版社

海外漢文古醫籍精選叢書・第三輯

傷寒論繹解 貳

〔日〕柳田濟 注

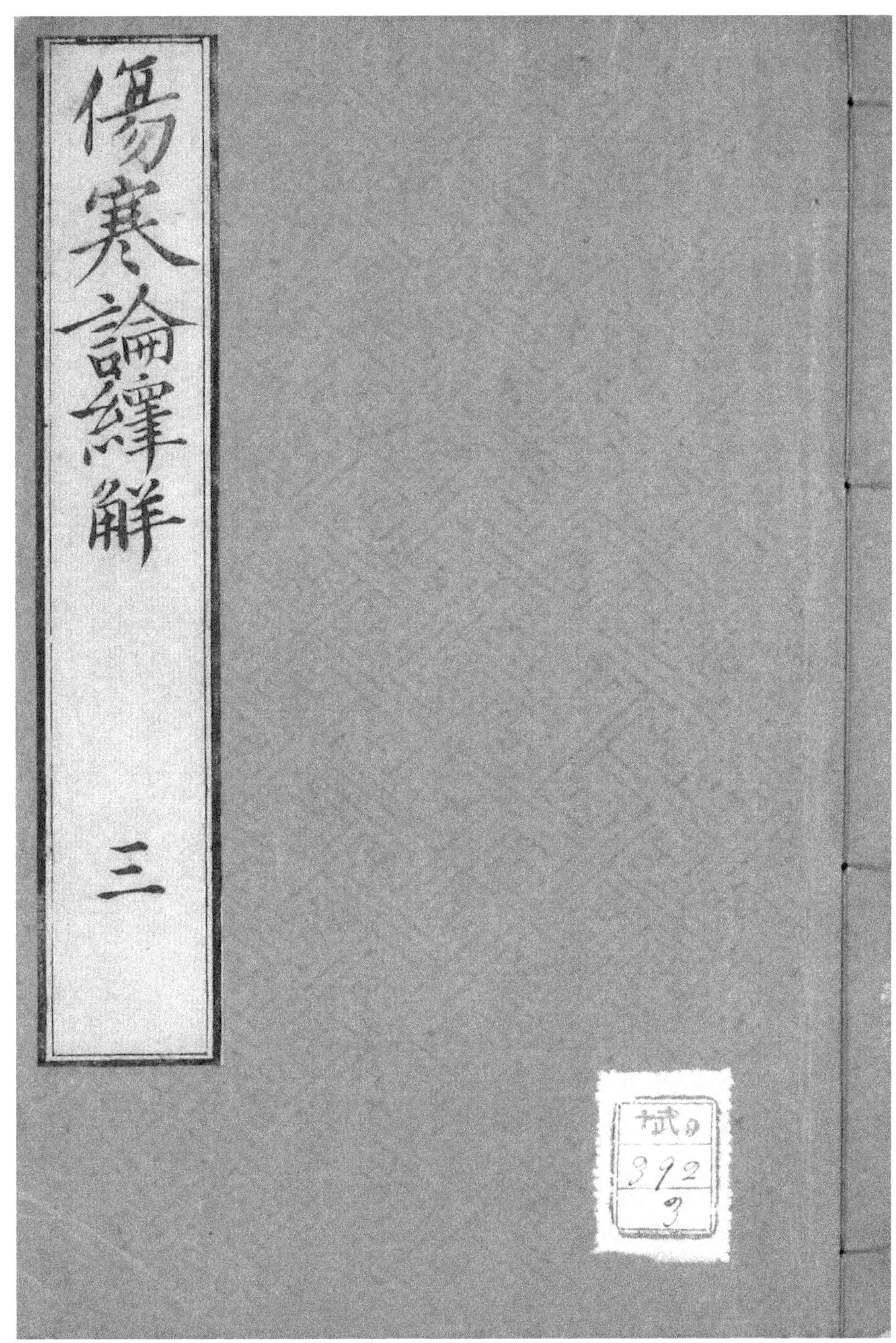
傷寒論繹解
三

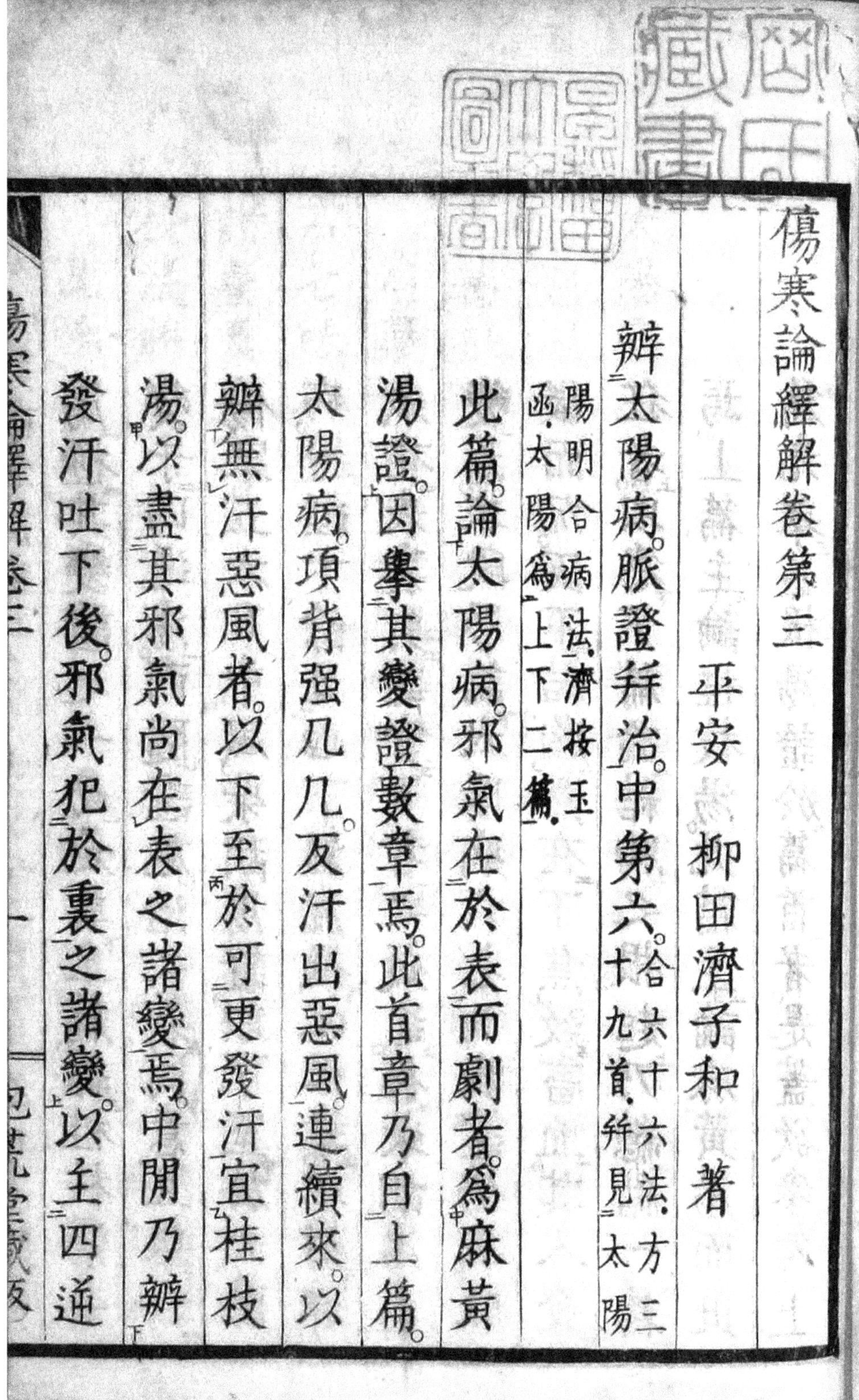

傷寒論繹解卷第三

平安　柳田濟子和　著

辨太陽病脈證并治中第六。

合六十六法。方三十九首。并見太陽陽明合病法。濟按玉函。太陽爲上下二篇。

此篇。論太陽病。邪氣在於表而劇者。爲麻黃湯證。因舉其變證數章焉。此首章乃自上篇太陽病。項背強几几。反汗出惡風。連續來。以辨無汗惡風者。以下至於可更發汗宜桂枝湯。以盡其邪氣尚在表之諸變焉。中間乃辨發汗吐下後。邪氣犯於裏之諸變。以主四逆

湯。極其變證之一局。是與上篇結桂枝湯之
變于四逆湯。而隨證施治之義同意。且擧自
傷寒五六日中風。柴胡湯證。以下至於太陽
病。過經十餘日。心下溫溫欲吐之章。以辨邪
氣在表裏與既實胃者之疑途。極柴胡湯之
變焉。末段乃論太陽病六七日。表證仍在。脈
微而沉。反不結胸。熱在下焦。致畜血。其人發
狂者。以爲下篇論結胸之根起。乃總結一篇
焉。上篇主論桂枝湯。此篇主論麻黃湯。而此
篇先擧葛根湯證。於篇首者。是蓋欲參考上

篇桂枝加葛根湯證稍重者。與葛根湯證更重者。合之以如麻黃湯證之溌劇故也。

太陽病。項背强几几。程應旄曰。項背强几几五字連讀。上半身成硬直之象。無汗惡風。玉函。風下。有者字。是。葛根湯主之。方此湯。葛根爲之主。故以名

葛根四兩　麻黃三兩去節　桂枝二兩去皮　生薑三兩切　甘草二兩炙　芍藥二兩　大棗十二兩擘。葛根加半夏湯。兩作枚。是

右七味。以水一斗。先煑麻黃葛根。減二升。去白沫。內諸藥。煑取三升。去滓。溫服一升。覆取微似汗。餘如桂枝法。將息及禁忌。諸湯皆倣此。此曰禁忌。諸湯皆倣此者。載方之始故也。

此承上篇桂枝加葛根湯證。而論其無汗之稍重

者之治也。項背强几几者，是邪熱專伏結於筋脈，而不表發故也。太陽病者，熱氣盛於表而蒸泄津液，故當有汗。而無汗者，邪氣潑鬱閉也。太陽病不發熱，則當惡寒。而惡風者，熱鬱於筋脈也。是所以爲稍重也。乃葛根湯主之，以解邪熱鬱閉發汗也。

太陽與陽明合病者，必自下利。（春暉曰：病下有者字，利下無者字，乃知此太陽與陽明合病之正證也。）葛根湯主之。

此承前章而論太陽陽明合病自下利之治也。蓋太陽病者，指寒熱相搏於表，見脈浮、頭項强痛而惡寒等證。陽明病者，指熱氣延漫於表裏，見胃家實。腹滿譫語。惡熱潮熱。濈然汗出等證。合病者。謂二陽之病證合發。爲如兩輪也。然而非一時致之。又非其證悉具。但一二兼見也。併病亦然矣。併病者。謂本太陽病不解。而併見陽明病證。而邪氣淺進偏于陽明者也。唯太陽病。雖無汗氣液不泄於外者。以邪氣在表。故不必自下利。唯陽明病。雖邪熱迫胃者。以濈然汗出。氣液泄於外。故不必自下利。二陽合病者。太陽邪氣在表而無汗。乃氣液內湊。因雖陽明裏熱迫胃。不至煎熬胃液。但胃氣爲之不和。水穀渣滓觸動。而必自下利也。是故陽明少陽合病下利。亦曰必。太陽與少陽合病自下利。不曰必。今雖二陽病證合發。然太陽項背强。無汗惡風。陽明未至胃實。而自下利。標本病傳論云。小大利。治其本。是邪氣尚專在於表。爲之本。仍主葛根湯。發汗則氣液通。裏熱亦消散。下利自止矣。又按自下利者。不因下之。又非邪毒入腸胃。但胃氣爲外邪不和。而下瀉也。故發散外邪。淸解裏熱。則必自愈。若邪毒在於腸胃下利者。非溫散內寒。若下內熱。則不差。是所以設下利自下利名也。

太陽與陽明合病。不下利。但嘔者。前章曰必自下利。故此示其變態。曰下

不下利。但嘔者。葛根加半夏湯主之。方

葛根四兩　麻黃三兩去節　甘草二兩炙　芍藥二兩　桂枝二兩去皮

半夏半升洗　生薑二兩切。本方作三兩。是　大棗十二枚擘

右八味。以水一斗。先煮葛根麻黃。減二升。去白沫。內諸藥。煮取三升。去滓。溫服一升。覆取微似汗。

此前證而不下利。但嘔者也。蓋裏熱迫胃。自下利者。是水穀渣滓下泄。故無大害。惟發汗則下利自止。若其證變。不下利。但嘔者。是胃氣逆而不下。水穀觸動而欲上出。其害可恐。故加半夏。兼治嘔者。

太陽病。桂枝證。醫反下之。利遂不止。言其利正未有止期也。脈

促者。表未解也。喘而汗出者。（喘主而汗尋之也。）葛根黃芩黃連湯主之。方（促一作縱。濟按此脫甘草二字。）

葛根（半斤）　甘草（二兩炙）　黃芩（三兩）　黃連（三兩）

右四味。以水八升。先煮葛根。減二升。內諸藥。煮取二升。去滓。分溫再服。

此自上篇太陽病下之來。且對前章自下利而論因誤下。致逆變者也。蓋太陽病。或有可下者。然但見桂枝證者。則不可下也固必矣而反下之。故潑咎其誤曰醫。故特曰桂枝證。以示其意脈促者。表未解也。是脈促。促者。表未解也之略言。此釋脈促之病狀也。蓋斜掎表對裏。皮膚外面。可得而見之稱。熱氣表發之義。未解。謂邪氣衰當解而不解也。下之胃虛。外邪內陷。利遂不止者。表解脈當沈微而促者。微邪尚在表未解也。表未解喘而汗出者。似桂枝加厚朴杏子湯證。然此表熱及心胸而升泄津液。胃氣爲熱所壓。乃水穀下瀉。津燥痞熱加之所爲。而非可發汗者。故主葛根黃芩黃連湯。以淸解表裏鬱熱。則諸證隨而止矣。

太陽病。頭痛發熱。身疼腰痛。骨節疼痛。正珍曰。品字箋。痛字注云。疼痛。痛之淺者爲疼。疼之甚者爲痛。惡風無汗而喘者。無汗主而喘尋之。麻黃

湯主之方此湯麻黃爲之主故以名

麻黃三兩去節桂枝二兩去皮甘草一兩炙千金翼作二兩

杏仁七十第去皮尖陽明篇第作箇第乃箇之譌

右四味以水九升先煮麻黃減二升去上沫內諸藥煮取二升半去滓溫服八合覆取微似汗不須歠粥此對桂枝湯歠粥言麻黃湯證無汗而氣液充於內乃不須歠粥也餘如桂枝法將息

此對上篇太陽病桂枝湯之正證且承前章項背強几几無汗惡風及喘而汗出而舉太陽病麻黃湯之正證以下及其變也頭痛者太陽病中之正證而今復舉者對項背強主之也次言發熱者雖

邪氣深及胸中。尚見專於表也。身疼腰痛骨節疼痛。是詳邪氣從淺及深之病態也。無汗而喘與喘而汗出反對。乃明專表與專裏之別。蓋桂枝湯證者。以邪淺直熱發。故汗出惡風。葛根湯證者。邪熱伏結於筋脈。而不發動。故項背強。而身不痛。此章所論者。是邪氣深自肌肉骨節及胸中。而熱氣發動與邪氣相搏。故頭痛發熱身疼腰痛骨節疼痛。惡風無汗喘。而項背不強。葛根黃芩黃連湯證喘而汗出者。表熱及心胸。而升泄津液。此無汗而喘者。邪氣閉密。氣液不能泄於外。而瘀鬱於胸中。因麻黃湯主之。以發汗解瘀鬱，則諸證悉除矣。或以此證爲傷寒而下注釋者，非也。何則太陽病者，熱發則惡寒變惡風。其雖發熱仍惡寒者，爲傷寒矣。今此發熱惡風，矧已冠太陽，若見以爲之傷寒，則病無等差，以何爲太陽病邪？不可從。

太陽與陽明合病，喘而胸滿者，不可下。此亦二陽合病之變證，故胸滿下置者字，喘主而胸滿尋之。此自前無汗而喘，遂及胸滿也。曰不可下，則不自下利可知矣。且已於葛根加半夏湯章明斷其義，故不言不下利也。宜麻黃湯。正珍曰：成本作宜麻黃湯主之，非也。云宜云主之，自有差別，不可混言也。成本往往混言者，全係後人妄添；宋板則一無混言者，可謂古矣。

此承前章，更論太陽與陽明合病，喘而胸滿者。而辨其治方也。二陽之合病。太陽頭痛發熱。身體疼痛。惡風無汗。陽明裏熱迫胃。而不下利。但升蒸津液。痰鬱甚。乃至喘而胸滿也。今陽明裏熱。致胸滿者。似可下。然是未實於胃。其所重尚在於太陽表證。故曰不可下。宜麻黃湯。又按桂枝湯證者。以汗出鬱氣泄。故不至陽明裏熱。葛根湯麻黃湯證。以無汗鬱氣不泄。故有致陽明裏熱者。是所以桂枝證無合病。於葛根麻黃論合病也。

太陽病十日以去。脈浮細而嗜臥者。外已解也。以去。猶已後。外對內。謂從腹裏外。肌肉淺處。邪氣所先受也。設胸滿脇痛者。與小柴胡湯。脈但浮者。與麻黄湯。小柴胡湯。言其證者。此始論擧其邪氣所在之主證而已。麻黄湯。但言脈之故也。而此以假設云。故但而不言其證者。麻黄證前已詳之。故略也。

小柴胡湯方

柴胡半斤 黄芩 人參 甘草炙 生薑切各三兩

大棗十二枚擘 半夏半升洗

右七味。以水一斗二升。煑取六升。去滓。再煎取三升。溫服一升。日三服。凡病毒在於心胸痞塞者。藥汁重濁。則泥心下。而痞不解。故早去滓。再煎減升數。清澄而用之也。是故若大黄黄連瀉心湯。則以麻沸湯漬之。須臾絞去滓服。亦可以知矣。又按凡藥方。每篇各一擧。今此方再擧者。此以始論柴胡證。故後人補載之也。全書此無方。是

此自上篇。太陽病得之八九日章來。且承上喘而

胸滿證而論十日以去外已解胸滿脇痛者雖十日以去外不解者以辨其治方也今脈浮細而嗜臥者是血氣虛衰而餘邪入於裏因身體勞倦虛氣浮於外也故爲外已解也此所謂脈微而惡寒者陰陽俱虛不可更發汗更下更吐之類設胸滿脇痛者是邪熱鬱結於胸脇也此所謂其人不嘔之既至欲嘔者乃與小柴胡湯以和解之矣脈但浮而不細者大邪尚在於表也此所謂面色反有熱色者未欲解之類而邪氣更淩仍與麻黃湯以發汗矣麻黃柴胡倂論者麻黃證者病及胸中乃

雖外解。猶有能見柴胡證者故也。若桂枝證。則不得誤治。不至於此矣。此後論小柴胡湯之根起。

太陽中風。發熱汗出。惡風。脈緩者。脈浮緊。發熱惡寒。身疼痛。不汗出而煩躁者。不汗出主而煩躁尋之。此對中風汗出。曰不汗出。傷寒論輯義引許弘內臺方議云。此一證中。全在不汗出。一不字內藏機。且此一字。是微有汗而不能得出。因生煩躁。非若傷寒之全無汗也。以此不字。方是中風。此乃古人智深識妙之處。大青龍湯主之。若脈微弱。汗出惡風者。不可服之。服之則厥逆。筋惕肉瞤。此爲逆也。厥逆。四肢厥冷甚也。筋惕。謂筋脈動掣。如微懼而動也。肉瞤。謂皮肉蠕動。如目瞤也。朱肱南陽活人書云。發汗過多。筋惕肉瞤。振搖動人。或虛羸之人。微汗出。便有此證。俱宜服眞武湯救之。

大青龍湯方　大青龍。對小青龍。而以其發陽之力大爲名也。

麻黃六兩去節　桂枝二兩去皮　甘草二兩炙　杏仁四十枚去皮尖

生薑三兩切　大棗十枚擘。玉函作十二枚。　石膏如雞子大碎。玉函有綿裹二字。

右七味，以水九升，先煮麻黃，減二升，去上沫，內諸藥，煮取三升，去滓，溫服一升，取微似汗。汗出多者，溫粉撲之。一服汗者，停後服。按粉者，與豬膚湯之白粉同，米粉也。乃溫粉者，熬溫米粉，以疏絹包裹，撲身止汗之方也。諸書所載之辟溫粉、溫粉方，皆後人之所製，殊不知辟溫粉者，是辟溫邪之粉方，而非止汗之設也。若復服，汗多亡陽，遂一作逆。虛，惡風煩躁，不得眠也。正珍曰：陽者，指元氣言之，人之所藉而運用營爲者，表裏上下，左右前後，其活潑溫暖，咸是一元氣之發也。人苟無此氣則死矣。猶天之有太陽，而四時行焉，百物生焉，體中之物莫貴焉，故謂之陽也，非指表指熱之陽也。故論中惟有亡陽，而無亡陰。素問所謂陽氣若天與日，失其所則折壽不彰者。便是也。濟按亡陽者。謂衞護肌表之陽。隨汗而亡脫也。故曰汗多亡陽遂虛。虛者。乃精氣之虛也。

此承上篇太陽中風桂枝湯桂枝二越婢一湯證。及上章十日以去之義。而論雖中風。亦經日之間。其治不當。則有邪氣漸進。鬱熱加。乃至劇者也。今邪滾鬱閉於肌肉。因中風浮弱脈變緊。應惡風復惡寒。不可身疼而疼痛。當汗出而不汗出而煩躁。此非桂枝湯之可治者。所謂桂枝本爲解肌。若其人脈浮緊。發熱汗不出者。不可與之之更重者也。又比麻黃湯桂枝二越婢一湯證。則表鬱甚而熱氣強。因大青龍湯主之。以發汗解煩熱矣。若脈微弱。汗出惡風者。若脈浮弱。則尚桂枝湯之證。今脈微弱者。是久日汗出氣液泄於外。而眞陽衰也。乃非桂枝之所宜。況大青龍乎。故不可服之。服之則忽亡陽。而致厥逆筋惕肉瞤。此爲逆也。卽與所謂脈微弱者此無陽也。不可發汗意同。服湯取微似汗。此發汗之法也。故汗出多者。溫粉撲之。以止汗禦亡陽。一服汗者。停後服。惟是恐其過當也。若汗遂漏不止者。屬桂枝加附子湯證。若一服得汗而復服。汗多亡陽。遂虛惡風煩躁不得眠也。初惡寒。而今復惡風者。因發汗。寒邪退也。初不汗出。而煩躁者屬實。今亡陽煩躁者屬虛。不得眠。虛氣上迫也。是雖發汗。鬱閉開發。邪氣退。然因多汗亡陽致之。故不至厥逆筋惕肉瞤之大逆也。蓋此湯者。麻黃湯越婢湯合方。而發汗清熱之峻劑也。乃恐有過繆。故特言之以建戒焉。互明病之劇易。藥方之輕重。以盡常須識此。勿令誤之義也。

傷寒脈浮緩。身不疼。但重。乍有輕時。無少陰證者。大青龍湯發之。身不疼。人身之常。而言之者。傷寒本體痛故也。金鑑云。乍有輕時。謂身重而有時輕也。若但欲寐。身重無輕時。是少陰證也。

此承上篇傷寒脈浮自汗出之章。且對前證而論傷寒邪壅甚而氣液瘀滯熱氣伏於肌肉而正邪不相搏乃脈當緊而反緩身當疼而不疼但重熱氣欲發而乍有輕時之異證也夫傷寒脈浮自汗出小便數心煩微惡寒脚攣急是正邪俱衰故反與桂枝湯欲攻其表誤也此亦脈浮緩然惡寒無汗而外邪盛也故與大青龍湯以發汗矣又前章中風而其脈證似傷寒此傷寒而其脈證似中風而其外證大異然表邪鬱閉熱氣甚則一也故同治方矣今脈浮緩身不疼但重乍有輕時而無汗惡寒者大類陰病不可發汗故曰無少陰證者大

青龍湯發之。其不言無汗者。不發熱也。不言惡寒者。傷寒者。必惡寒也。故傷寒章下。言惡寒者無之。其熱實。而不惡寒者。斷曰不惡寒。或有曰微惡寒者。則皆示其變態也。注家不察。曰此亦當有發熱煩躁等證者。非也。若此有發熱煩躁。則不得脈不緊。不得身不疼。又無致身重之理。又固不及令人辨知陰病之疑途也。

傷寒表不解。表邪不解也。此對心下有水氣。故曰表。心下有水氣。錢潢曰。心下。心之下。胃脘之分也。水氣。水飲之屬也。濟按。有水氣。是與眞武湯章云有水氣同。其人固有之水氣也。非傷寒渴飲水。新生之停水。乾嘔發熱而咳。上曰表不解。而更言發熱者。蓋傷寒者。有或已發熱。或未發熱之遲速。而必惡寒故也。或渴。或利。或噎。或小便不利少腹滿。或喘者。利、下利。少腹、斥臍下也。比上肚腹大。而曰少腹。錢黃曰。或者。或有或無。非必諸證皆見也。小青龍湯主之方

麻黃去節　芍藥　細辛　乾薑　甘草炙

桂枝各三兩去皮　五味子半升　半夏半升洗

右八味。以水一斗。先煑麻黃。減二升。去上沫。內諸藥。煑取三升。去滓。溫服一升。若渴去半夏加栝樓根三兩。渴者。因熱加而津液燥。故去半夏性燥者。加栝樓根。以清熱潤燥。若微利去麻黃。加蕘花如一雞子。熬令赤色。今曰微利。則上所謂利亦爲微利也。可以知矣。微利者。因內水多而降於腸間。欲瀉下。而不快利。乃不宜麻黃發陽。故去麻黃。加蕘花以下水。則利隨止。

熬令赤色者。緩其性也。若噎者去麻黃加附子一枚炮。噎者。因內水結胸膈而氣逆。乃食飲窒咽中。氣不通。亦不宜麻黃發陽。故去麻黃。加附子以急溫散水結。若小便不利少腹滿者去麻黃加茯苓四兩。小便不利少腹滿者。水邪畜聚於下焦。乃膀胱氣不和也。若麻黃發陽。則氣虛而益不和。故亦去麻黃。加茯苓以導畜水。使從小便去。則滿隨消。若喘去麻黃加杏仁半升去皮尖。喘者。因水邪瘀鬱於胸中。逆迫喉間。礙呼吸。乃亦不宜麻黃發陽。故去麻黃。加杏仁以除瘀水。且蕘花不治利。麻黃主喘。今此語反之。疑非仲景意。臣億等謹按。小青龍湯。大要治水。又按本草。蕘花下十二水。若水去。利則止也。又按千金。形腫者。應內麻黃。乃內杏仁者。以麻黃發其陽故也。以此證之。豈非仲景意也。濟按。方後有加減法者。小青龍湯。小柴胡湯。真武湯。通脈四逆湯。四逆散。理中丸。是也。今考之。有證藥相適者。亦有否者。且已於上文中。悉舉其證。而某湯主之。則知其證皆本方之所兼治、而不須加減矣、此皆或有或無之標證也、因意此仲景氏采古醫經之時、其方後有此等之言、仍記之也、是故有辭例異者、蓋漢儒尊經之意、且發語辭、且芫花以下二十字、恐是後人之語、

此承前章而論傷寒表不解心下有水氣者之證治也。寒邪在於表。心下有水氣乃鬱熱速不能表達。胃氣逆發乾嘔。已發熱。水與熱氣升。上注于肺管而咳。是此定證也。渴以下諸證則或熱氣加而暴動。或水氣流溢。迫於上。降於下之所致。而非必皆見之也。因主小青龍湯。以發汗散水氣。斂降逆氣。則諸證悉治矣。金匱要略云。病溢飲者。當發其汗。大青龍湯主之。小青龍湯亦主之。宜併考。

傷寒。略表不解三字。心下有水氣。再言之者。是此章之主意。咳而微喘。咳主而喘尋之也。復舉咳者。此湯之主證也。前章以喘爲或證。而此特舉之者。以咳喘并發者多故也。發熱不渴。再言發熱者。示尚專於表也。前章云或渴。故此曰不渴。以起下服湯已渴者。服湯已渴者。此寒去欲解也。惟忠曰。湯即小青龍湯也。寒即傷寒之寒。寒去。謂邪除也。論曰。發汗已。脉浮數。煩渴者。五苓散主之。例曰。服柴胡湯已渴者。屬陽明也。以法治之。又曰。下利。脉數而渴者。今自愈。因是觀之。渴之雖如一乎。或不解。或欲解。或屬陽明。何取之於一乎。不可不留意以察焉。小青龍湯主之。徐大椿。傷寒類方云。小青龍湯主之。此倒筆法。即指服湯已三字。非謂欲解之後。更服小青龍湯也。

此承前章或喘。又對或渴。而申明咳而微喘。發熱不渴。服湯已渴者也。蓋或喘或渴。並小青龍湯之所兼治。因其不渴。亦惟服此湯。服已渴者。是心下水氣散。外寒亦退。但鬱熱暴發。引津液之所致。故此爲寒去欲解也。乃雖渴熱去津復。則必自止矣。特於此湯證有之者。因其人素氣液化輸不速。心下有水氣也。亦可以知其所主矣。大小青龍湯證終焉。下更論太陽病外證未解屬桂枝湯者。

太陽病。外證未解。脈浮弱者。當以汗解。外證。對內證。謂邪氣在於外之諸證也。未解。謂邪氣衰。當解而不解也。汗者。發汗之略言。宜桂枝湯方

桂枝去皮　芍藥　生薑各三兩切　甘草二兩炙　大棗十二枚擘

右五味。以水七升。煑取三升。去滓。溫服一升。須臾。歠

熱稀粥一升，助藥力，取微汗。

此承太陽病十日以去之章，而論外證未解者之治方也。言脈浮細而嗜臥者，外已解也。設胸滿脇痛者，與小柴胡湯。脈但浮者，與麻黃湯。今外證未解，脈浮弱者，當以汗解，而此微邪在於外未解也。非麻黃湯之所宜，因宜桂枝湯。

太陽病，下之微喘者，表未解故也。此與麻黃湯之喘相照，而示劇易。又與小青龍湯之微喘同，而彼咳而微喘，亦所主有稍異。外者，對內而所其指淺；表者，對裏而所其指淺，即邪熱表發之義。此言下之微喘者，故示尚有表發之證也。桂枝加厚朴杏子湯主之。方杏子，杏仁通稱，猶桃核、桃仁。

桂枝三兩去皮　甘草二兩炙　生薑三兩切　芍藥三兩　大棗十二枚擘

厚朴二兩炙去皮　杏仁五十枚去皮尖

右七味。以水七升。微火煮。取三升。去滓。溫服一升。覆取微似汗。

此承太陽病。桂枝證。醫反下之章。而更明下之表未解。微喘者之治方也。而不曰反者。依彼章略也。蓋表邪盛及胸中而喘者。則不止微喘。今太陽病下之。微喘者。邪氣及胸中。表裏不和。氣液瘀鬱也。而此雖下之。微邪在於表。未解故也。仍桂枝加厚朴杏子湯主之。以發汗解瘀鬱。則表裏和而喘止。

然而彼利遂不止脈促喘而汗出是專熱所以葛根黃芩黃連湯主之此氣液瘀鬱所以治方大異也因次麻黃青龍及前章擧之辨邪氣之微甚也

太陽病外證未解不可下也下之爲逆欲解外者宜桂枝湯欲字宜字有臨證盡思慮審決之意

此斷上二章而爲不可下之例乃至欲解外蓋外證對有內證言之言太陽病外證未解雖有內證而非在邪實可急下之例者均不可下也下之爲逆當先解外而此未解之微邪故欲解外者莫善於桂枝湯矣

太陽病。先發汗不解。而復下之。脈浮者不愈。單曰不解者。係表裏言也。浮爲在外。而反下之。故令不愈。上曰復下之者。發汗且復下之意。此曰反下者。就浮爲在外而謂其逆治也。此明上脈浮者不愈由。今脈浮。故在外。當須解外則愈。故在閒。玉函有知字。是。此總上文而言須解外也。宜桂枝湯。

此申明太陽病。汗下邪氣仍在於外者也。言先發汗不解。而復下之。若汗後脈沉者。邪氣入在於內。乃下之愈。浮者不愈。浮邪氣爲在外。而反下之。故令不愈。今脈尚浮。故知其不下之先在外。因當須解外則愈。而此汗下後之餘邪。故亦爲宜桂枝湯。

太陽病。脈浮緊。無汗發熱。身疼痛。八九日不解。先言無汗者。此主爲也。不言惡風。此熱多寒少故也。表證仍在。此當發其汗。服藥已微除。表證。對裏證。謂邪熱表發。可得見之諸證也。藥指麻黃湯也。方有執曰。微除。言雖未全罷。亦已減輕也。其人發煩目瞑。劇者必衄。衄乃解。瞑目閉也。乃解。謂初不解者。至此全解也。所以然者。陽氣重故也。陽氣鬱而生熱。今不曰熱而曰陽氣者。就其重累之初體言也。此明致衄之所由也。麻黃湯主之。此章文法。與小青龍章同。

此卻復承太陽病得之八九日章。而論太陽病脈浮緊。無汗發熱。身疼痛。八九日不解。服麻黃湯已微除。發煩目瞑。衄乃解者也。而彼面色反有熱色。以其不能得小汗出。身必癢。因宜桂枝麻黃各半湯。此無汗陽氣重而致衄。俱邪熱迸上之所致。是

故今詳舉麻黃湯證照應而明彼此輕重也已詳
邪氣在外之脈證而更曰表證仍在者見雖經日
邪熱淺及裏然表發之諸證仍存在也蓋表證仍
在者雖邪熱淺此當發其汗麻黃湯主之服一劑
已則邪氣微除矣而其人發煩目瞑劇者必衄衄
乃解所以然者何也表證久不解陽氣重累於上
者由邪氣微除暴發遂動經血血逆從鼻竅出便
邪熱隨血去也

太陽病脈浮緊發熱身無汗自衄者愈

此承前章更明太陽病脈浮緊發熱但頭汗出身

無汗較輕者。便得衄愈也。不曰頭汗出。而曰身無汗者。對前證無汗。而欲諭鼻衄是由無汗鬱熱盛于上發也。今但頭汗出。身無汗自衄者。不因發汗不發汗。其人素氣逆甚。而血易動。乃邪熱壹逆上。經血爲之沸騰之所致。緣邪氣亦易解散。故爲愈矣。論曰。太陽病不解。熱結膀胱。其人如狂。血自下。下者愈。蓋衄血下血雖異。其自發者。邪熱隨血而易解散之理一也。故俱爲愈之候。然非不須藥治自愈之例。故不曰自愈也。宜審診察脈證。而處置治法。勿忽諸。

二陽併病。太陽初得病時。發其汗。汗先出不徹。因轉屬陽明。續自微汗出。不惡寒。惟忠曰、肇於太陽、而及於陽明、故曰二陽併病、淇園曰、徹、去也、蓋內收之、以使其全去舊處之稱、濟按、汗先出不徹、言發汗徒汗先出、而邪不除也、續、續于發汗之汗也、此言太陽轉屬陽明之所因、及陽明先見之證也、

若太陽病證不罷者。不可下。下之為逆。如此可小發汗。太陽病證不罷、言頭項強痛、發熱惡風等證尚在也、此申明併病、太陽病證不罷者之治法也、所謂太陽病、外證未解、不可下也、下之為逆、欲解外者、宜桂枝湯之意

設面色緣緣正赤者。陽氣怫鬱在表。當解之熏之。魏荔彤、傷寒論本義云、緣緣者、自淺而深、自一處而滿面之謂、古人善於用字、故取象至妙、濟按、正赤、不雜他色也、此更言陽氣怫鬱在表、而不得發越於外者之證治也、所謂面色反有熱色者、未欲解之類、

若發汗不徹。不足言陽氣怫鬱不得越。

此對上陽氣怫鬱在表而言其稍輕者也當汗不汗其人躁煩不知痛處乍在腹中乍在四肢按之不可得周揚俊傷寒三注云躁煩以下種種證候不過形容躁煩二字非眞有痛故曰按之不可得也其人短氣但坐以汗出不徹故也更發汗則愈重曰其人者上係當汗不汗此係汗出不徹言之蓋更其端也但坐不臥也臥則不堪氣急息迫故也此申明發汗不徹之諸變證可更發汗何以知汗出不徹以脈濇故知也此總上文而言依脈以知汗出不徹

此論二陽併病證候治法也併病者謂太陽病不解遂併見陽明病證少陽病證而邪氣滚進偏于陽明少陽者也故於太陽病證不罷者曰若也固非二陽合病之如兩輪三陽合病之如鼎足對合

也。言太陽初得病時。發汗不得其宜。汗先出邪氣不徹。徒津液亡。而熱氣加。因轉屬陽明。續自微汗出不惡寒。此太陽證罷。但陽明熱實也。法當下之。若太陽病證不罷者。不可下。下之爲逆。當發汗。而此已發汗不徹屬陽明。故可小發汗也。設面色緣緣正赤者。陽氣怫鬱在表。不得發越於外。熱氣上衝熏面也。當解之熏之以發其汗。若發汗不徹。不足言陽氣怫鬱不得越。亦當汗不汗。邪熱不得外泄。而妄行。正不勝邪。其人躁煩。不知痛處。乍在腹中。乍在四肢。按之不可得。短氣但坐。此皆以汗出不徹故也。仍更發汗則愈。何以知汗出不徹。蓋脈濇者。血液虛耗。而經氣爲邪澀滯也。今脈濇故知也。再按此章二陽併病以下。至可小發汗。是與陽明篇云。二陽併病。太陽證罷。但發潮熱。手足漐漐汗出。太便難而讝語者。下之則愈。相應。而併病汗下之義甚明矣。此仲景氏之舊章。設面色以下。是追論上發汗不徹之義者。而文辭不與本論愜。且曰當解之熏之者。最可疑矣。此亦叔和之敷衍。

脈浮數者。法當汗出而愈。若下之身重心悸者。不可發汗。當自汗出乃解。法脈法也。當汗出。言熱發汗出也。身重。精氣難達於外也。悸者心腹中覺無力、而微動之稱、詩衛風云、容兮遂兮、垂帶悸兮、是形容垂帶之微動也、可以證矣、悸與動氣自異、動氣者、腹脈之激動也、所以然者。尺中脈微。此裏虛。須表裏實。津液自和。便自汗出愈。實對上虛而言、精氣復上曰裏虛、而下曰表裏實者、蓋裏虛者、精氣難外達、而表亦虛、裏氣復則表亦實故也、津液自和、爲自汗言也、

此章言脈浮數者。邪氣微淺。而熱氣易表發。法當汗出而愈。若下之身重心悸者。胃氣損。精液不行也。此不可發汗。發汗則表陽亦亡。當自汗出乃解。所以然者。今尺中脈微。此裏氣暴虛。而邪氣尚在表。故須胃氣復表裏實。津液自和。便自汗出愈也。

脈浮緊者。法當身疼痛。宜以汗解之。假令尺中遲者。

不可發汗。柯琴傷寒論注云，假令是設辭，是淺一層看法，此與脉浮數而尺中微者同義。何以知然。以榮氣不足血少故也。榮行脉中，榮養百骸，故曰榮氣不足血少。

此對前章脉浮數者，法當汗出而愈，而更言脉浮緊者，邪氣深，法當身疼痛，宜以發汗解之。假令尺中遲者，不可發汗。何以知然。蓋尺脉者，候裏察榮血。今尺中遲者，以榮氣不足血少，强發汗則血液枯涸，必生變逆故也。

脉浮者，病在表，可發汗，宜麻黃湯。一法用桂枝湯。脉經作桂枝湯，是。

脉浮者，熱氣浮越於外之象，故爲病在表，乃可發汗。而此邪氣淺緩，因爲桂枝湯之所宜也。

脈浮而數者可發汗宜麻黃湯。脈浮主而數尋之故用而字以示邪熱進

脈浮而數數者熱氣有餘乃邪熱甚於但浮者前章脈浮數者邪氣淺故曰法當汗出而愈此邪氣既深而無汗因不發汗則不解故曰可發汗宜麻黃湯可見脈雖等浮數病有淺深矣。

病常自汗出者。方有執曰此言常者謂無時不然也濟按自汗不因發汗但表氣虛腠理疎而汗易泄也此爲榮氣和榮氣和者外不諧以衛氣不共榮氣諧和故爾。諧謂協相應和也傷寒類方云榮氣和者言榮氣不病非調和之和自汗與發汗迥別自汗乃榮衛相離發汗使榮衛相合自汗傷正發汗驅邪復發者因其自汗而更發之則榮衛和而自汗反止矣以榮行脈中衛行脈外復發其汗榮衛和

則愈宜桂枝湯。榮衛生會篇云，榮在脈中，衛在脈外。衛氣篇云，其浮氣之不循經者，為衛。其精氣之行於經者，為榮氣。

此章言病常自汗出者，是邪淺在於衛分，而榮分無邪，乃榮氣不病，故為榮氣和。榮氣和者，此衛氣病因外不諧。今榮雖和，衛病者，以衛氣不共榮氣諧和。故衛氣常不能衛護皮膚，汗出爾。蓋衛為陽，榮為陰，陰陽貴乎和合，以榮行脈中，衛行脈外，復發其汗，解散衛分之邪，榮衛中外之氣相和合，則愈，宜桂枝湯。

病人藏無他病，時發熱自汗出，而不愈者。傷寒論輯義云，汪琥

曰藏無他病者謂裏和能食二便如常也程應旄曰凡藏病亦有發熱汗自出連綿不愈者骨蒸勞熱類是也

此衛氣不和也先其時發汗則愈宜桂枝湯

此亦論時發熱自汗出而不愈者之治法也時發熱者似裏熱之時發者故先曰藏無他病以明腹內無所病先其時先發熱也言病人藏無他病有時發熱自汗出者病當易愈而不愈者此邪氣伏於肌膚衛氣不和外失衛護故也凡病發作有時者熱發則邪氣動熱已則邪氣伏邪動者易除伏者難去今時發熱自汗出故先其時服桂枝湯乘熱發汗則伏邪去而愈矣素問刺瘧篇云凡治瘧

先發如食頃乃可以治過之則失時也是與此同意又按二陽併病章承前太陽病外證未解不可下及太陽病八九日不解表證仍在此當發其汗之義而言併病太陽病證不罷者可小發汗矣從是面色緣緣正赤以下乃以陽氣重之意辨發汗不徹陽氣怫鬱不得越然而設面色以下及次六章疑非仲景氏之舊論如何其言與辨脈法中之說相類意此王叔和欲明可發汗不可汗之脈理而撰次之焉

傷寒脈浮緊不發汗因致衄者麻黃湯主之

此承前傷寒脈浮緩且對太陽病衄血二章而論傷寒衄血之治也蓋傷寒脈浮緩身不疼但重乍有輕時者邪壅甚熱伏於肌肉而正邪不相搏故大青龍湯發之今脈浮緊者正邪搏擊劇法當發熱惡寒身疼痛此可發汗也然不發汗因鬱熱不能四散壹升蒸上遂沸血致衄仍麻黃湯主之以發汗也此發熱惡寒身疼痛而不用大青龍湯者因衄鬱熱稍減故也又不詳其證者傷寒脈浮緊則其證具可知故也又太陽病衄血二章及此章俱脈浮緊而彼衄後病解病愈此乃可發汗者夫

太陽病脈浮緊無汗是表證日久不解服藥已微除鬱熱暴動發煩劇而衄故解大陽病脈浮緊發熱身無汗自衄者是其人素血氣易動因邪氣亦易解散故愈惟傷寒者邪氣進必惡寒此非太陽病發熱惡風之比故尚不發汗不解也是所以俱脈浮緊而衄後或解或愈或可發汗也麻黄湯證終焉下更論傷寒表證未解屬桂枝湯者

傷寒不大便六七日頭痛有熱者與承氣湯特擧頭痛者主之也不曰發熱潮熱但曰有熱者伏熱在於身也若頭痛發熱則桂枝不大便潮熱則承氣今身有熱者汗下之疑在茲矣可與承氣湯者不止不大便頭痛有熱此惟爲辨汗下疑途先虛提承氣以明傷寒經

日、邪氣仍在表者、當須發汗、且爲後段下之諸證、爲一案也、玉函作未可與承氣湯、非也、若此未可與承氣湯、則下云其小便清者、知不在裏仍在表也者、其意甚薄、而似屬無用、其小便清者。一云大便青、知不在裏仍在表也。當須發汗。裏對表、從肌肉內、不可得而見之稱、即邪氣進伏之義、此以既曰與承氣湯、故曰不在裏仍在表也、如此則其於發汗、亦所當斟酌也、故曰當須發汗、所謂二陽併病、可小發汗之類、若頭痛者必衄。發汗頭痛當止、故曰若、此言汗後仍頭痛者必衄、即與上頭痛應、所以主論也、宜桂枝湯。此句當在須發汗下、而作末句者、與小青龍湯一例、

此承前章不發汗因致衄。而論汗後衄者也。言傷寒。不大便六七日。頭痛有熱者。與承氣湯。而此有頭痛。故又審驗之于其小便。若小便渾赤者。邪熱

實於裏也。熱實表解而惡寒止，則頭痛是表鬱之餘結，乃下之隨愈。若小便清者，知不在裏，仍在表也。而此不大便六七日，而身熱則表寒應徵，故宜桂枝湯以少發汗，待表解，而若但頭痛不止者，因邪氣伏於肌肉之久，頭中鬱熱不除，遂破血必衄也。又衄後不言其治方者，證治不一定故也。承氣桂枝相照，以辨其疑途者，與陽明篇脈實者宜下，脈浮虛者宜發汗，下之與大承氣湯，發汗宜桂枝湯同。而彼以脈言，此以證言，互明其義也。

傷寒發汗已解，言發汗已病解也。半日許復煩，餘邪復鬱閉，熱氣將發而也。復煩脈浮數者。可更發汗。宜桂枝湯。

此申明傷寒發汗餘邪之治也。言發汗汗出已。熱去身涼解。半日許復煩。脈浮數者。是津燥邪氣未盡退。復集而閉表氣。鬱熱將表發而難發之所致。因可更發汗。而此餘邪。故再發汗之劑。爲桂枝湯之所宜矣。又按前段專論麻黃湯。此一節亦宜以麻黃湯終局。而卻論桂枝湯。是即解斷麻黃湯之變。而紓終桂枝湯證也。於是表證之治方。大抵備焉。因下論汗吐下後。邪氣在於裏之諸證。首尾回環。編次爲義。讀者宜著眼目。

凡病若發汗。若吐。若下。若亡血亡津液。金鑑云。凡病。謂不論中風傷寒一切病也。濟按此言亡血亡津液。而不言亡陽者。蓋形體者。陰也。是猶地爲陰矣。夫血與津液者。俱屬陰。各陰中之一物也。而津液者從腠理行。即如大地之滋潤。血者從經絡行。即如地中之泉脈。然而皆藉陽氣以爲運用矣。是故以發汗吐下。一時雖亡。邪氣除則易得陰陽自和也。元氣者。陽也。是猶天爲陽矣。凡病生乎陰氣凝滯。陽氣爲之不能運行。陰陽不和焉。是猶天氣爲陰所格。而不能下降。則相激致雷電暴雨。地氣爲陰所閉。而不能升發。則相迫爲震動暴風矣。此亦陰陽不和。而天地之病也。是故若陽亡則陰氣益凝滯。而邪氣不除。因不至自和自愈。是所以言亡血亡津液。而不言亡陽也。論中自有明徵。可觀以知矣。營衛生會篇云。奪血者無汗。奪汗者無血。蓋血液同類。故亡津液上不置若字。**陰陽自和者。必自愈。**云。陰陽和。謂無寒無熱。形氣順和。扁鵲傳云。太子起坐。更適陰陽。即是也。呉儀洛傷寒分經云。經中凡勿藥而俟其自愈之條甚多。今人凡有診視。無不與藥。致自愈之證。反多不愈矣。

此承前數章而先舉必自愈者以爲後段病毒不除陰陽不和之地焉言凡病因若發汗若吐若下雖若亡血亡津液病毒已除者不俟藥治得穀肉菓菜之養血液復陰陽自和則必自愈按夫陰陽之爲氣也其氣一而已難容分疏矣蓋陰陽者天地二元之精日月之氣相感以成者也爲之無形陰陽此爲氣也盈滿于天地中貫通于四時晝夜氤氳沸沸終古不息是其不息之機綜萬物以賦予之生形體斯分稟受含靈化化生生亦能相續不息劉子曰民受天地之中而生是中者天地之

中氣陰陽混合之壹氣也卽終古不息之氣與物相感則靈顯神著神者莫所不之氣者莫所不通氣之所通神隨而入焉屈原所謂壹氣孔神兮卽是也故曰陰陽之爲氣也一者也不可爲貳矣人生惟是一片氣氣中藏一點靈而爲此動物卽血脈呼吸榮衛之屬莫非一氣之靈故指端肌膚上僅得一傷輒氣動神驚大則氣不守神不舍形氣分而不復靈形氣相依猶如水魚相依凡含生之物莫非此一氣之靈無不形氣相依也形氣相依爲之形氣陰陽之大源若夫以兩在爾則無物不

陰陽兩于天地兩于動靜至乃外本末毫釐沙塵之類皆能以兩在通稱於陰陽焉而無背面上下者氣也惟是有盈虛隱見消息故體兩在陰陽之物因以細微推詳究之配當此乃三陰三陽所以說陰陽也雖然陰陽之所要無他一氣之與形體而已口鼻之呼吸聚爲人物散爲一氣各雖有形氣稟受之强弱因以爲其常違常則是陰陽不協也復常則是陰陽協也故飲食養形氣則形體完固氣血周營終身無病毒以至形數之盡若外感風寒暑溼乃傷飲食困神過度則形氣阻隔乍寒

乍熱寒熱俱一邪也邪者正反邪於正氣也三陰三陽所謂寒者生於陰所謂熱者生於陽既爲寒爲熱則亦是一邪而已邪氣謂之毒毒者害於物也近世東洞子曰萬病惟一毒此無不傷害形氣之謂也邪也毒也宜先知太虛一氣之爲大源而後可迄體骸內景陰陽寒熱之說矣

大下之後復發汗大下過當也凡外感之病先發汗而邪氣不除遂犯於裏邪熱實而後下之此順治也故外證未解下之爲逆然而此章所論病人外有可汗之證而內有可急下之證因先下之其證除後復發汗也此雖汗下不順於商料證之緩急而解病毒則不爲逆故不曰反是與太陽病下之後其氣上衝者可與桂枝湯意同小便不利者亡津液故也勿治

之得小便利必自愈

此承前章亡津液而論之也言大下之後復發汗邪氣除而小便不利者但津液少耳不足爲患也若强責其小便誤也故勿治之勿治之而津液復得小便利則陰陽和必自愈論曰陽明病汗出多而渴者不可與猪苓湯以汗多胃中燥猪苓湯復利其小便故也宜與此參考今此論亡津液而不擧亡血自愈者何也辨脈法云胃氣實則穀消而水化也穀入於胃脈道乃行水入於經其血乃成蓋以津液復則血亦復而愈故不擧之也又可以

知血之與津液其質同矣。

下之後。復發汗。必振寒。振慄惡寒也。此內外俱虛。故曰必也。脈微細。所以然者。以內外俱虛故也。內對外。謂胃膀胱大小孔道。幷體內也。而主胃內。

此承前章而論亡陽邪氣不除者也。必振寒脈微細者。此內外精虛而寒進於裏也。故不言自愈。所謂脈微而惡寒者。此陰陽俱虛。不可更發汗更下更吐之類。而彼不顯言汗下。故係形氣。曰陰陽俱虛。下則虛其內。汗則虛其外。今此下之後復發汗。故直指其所。曰內外俱虛。此章以下。觀其脈證。知犯何逆。隨證治之之義也。

下之後。復發汗。晝日煩躁不得眠。夜而安靜。不嘔不渴。無表證。脈沉微。身無大熱者。程應旄曰。晝日煩躁不得眠。虛陽擾亂。外見假熱也。夜而安靜。不嘔不渴。無表證。脈沉微。身無大熱。陰氣獨治。內係眞寒也。宜乾薑附子湯。直從陰中回陽。不當於晝日煩躁一假證狐疑也。乾薑附子湯主之。方

乾薑一兩　附子一枚。生用。去皮。切八片。成本。切作破。是。

右二味。以水三升。煑取一升。去滓。頓服。

此承前章。而更論亡陽寒邪入於裏。而表鬱仍存。微熱在外者之證治也。乃煩躁不得眠者。類裏熱發動。故曰不嘔不渴。以示裏無熱。熱氣在於外。煩躁者。嫌有表證。故曰無表證。外有微熱。而裏寒。故

曰身無大熱此裏寒外熱之微者而難辨别寒熱故詳脈證以明之也蓋晝日陽氣行於外而與表鬱相搏故熱氣發動而裏寒逆乃煩躁不得眠夜陽氣行於內故熱氣伏而裏寒不逆乃安靜而無表證脈沉微者雖表鬱存寒在於裏也若正邪盛而煩躁者無分晝夜今晝日煩躁夜而安靜者此汗下後正氣暴虛而邪逆亦不甚是故不嘔不渴身無大熱又不至毒氣急迫厥逆因不與四逆湯惟乾薑附子湯主之少劑頓服以溫散裏寒則表鬱亦隨解也論曰婦人傷寒發熱經水適來晝日

明了暮則讝語如見鬼狀者此爲熱入血室故其證與此相反也

發汗後身疼痛脉沉遲者桂枝加芍藥生薑各一兩人參三兩新加湯主之方

桂枝三兩去皮　芍藥四兩　甘草二兩炙　人參三兩　大棗十二枚擘

生薑四兩

右六味以水一斗二升煮取三升去滓溫服一升本云桂枝湯今加芍藥生薑人參　正珍曰芍藥生薑固是桂枝湯中所存故惟云之加人參則原方所無故特稱新加也濟按方名中言其所加之兩數者他無此例新加二字亦屬蛇足恐此後人傍書者誤混本文也玉函脉經直名桂枝加芍藥生薑人參湯者是也今從之

此承前章不嘔不渴無表證脈沉微而論之也蓋發汗後身疼痛脈沉遲者血液虛耗餘邪尚在表而及裏結於心下阻氣經氣艱澀故也仍爲桂枝加芍藥生薑人參湯之所主治矣又按今增芍藥生薑加人參者當有腹裏拘急心下痞鞕嘔逆等證也而此唯言邪氣及裏之由故略言其證也其略者令其知于藥能也宜俯考桂枝加芍藥湯小建中湯證以與之

發汗後不可更行桂枝湯（行猶用也）汗出而喘（汗出主而喘尋之也）無大熱者（謂表無翕翕之熱也是當有大熱而無故曰無大熱若曰有微熱則但限微熱無餘

意。此雖無大熱。見汗出而喘。則是熱氣伏於肌肉及胸中。而不顯於表也。卽與大陷胸湯。白虎加人參湯越婢湯章下云。無大熱同。又與前章身無大熱應。而彼表熱裏寒。故特加身字以示身中無大熱矣。可

與麻黃杏仁甘草石膏湯方　對上文不可更行。故曰可與。

麻黃四兩去節　杏仁五十箇去皮尖　甘草二兩炙　石膏半斤碎綿裹

右四味。以水七升。煑麻黃減二升。去上沫。內諸藥煑取二升。去滓。溫服一升。本云黃耳柸。汪琥曰。黃耳杯。想係置水器也。傷寒論析義云。當時所通在之器皿。猶言白茶盞。要容一升許。千金翼。柸作杯。玉函。無本云黃耳柸五字。

按前章已明發汗餘邪在表。其證未解者。宜更與桂枝湯發汗。今此章乃論發汗其證除者。雖汗出不可更行桂枝湯之義。故先曰不可更行桂枝湯。

以戒之而確實汗出而喘無大熱者可與麻黃杏仁甘草石膏湯也上章此章同發汗後而彼血液虛耗餘邪及裏此邪氣進熱氣加伏於肌肉及胸中而升蒸津液故其證治自異矣是故並論之諭其所異也汗出而喘者與麻黃湯證無汗而喘反對唯彼專寒故伍桂枝此專熱故用石膏又葛根黃芩黃連湯證亦邪熱鬱肌肉胸中然下後利遂不止乃熱專於裏也故曰喘而汗出此發汗後乃熱尚專於表也故曰汗出而喘又太陽病下之微喘者邪氣及胸中表裏不和氣液瘀鬱也仍桂枝

加厚朴杏子湯主之蓋所以喘一而處劑異者以因寒熱邪氣淺深緩急其所主異故也止喘非然矣他證亦有然者古人於行文之際盡其精微可以見焉又金匱要略云風水惡風一身悉腫脈浮不渴續自汗出無大熱越婢湯主之是與此章方證粗同而越婢湯者大青龍湯之類方大青龍湯者越婢湯麻黃湯之合方此湯者即麻黃湯之變方故主喘但此爲異矣宜審立方之意以施用

發汗過多其人叉手自冒心心下悸欲得按者叉兩手相錯也冒覆也桂枝甘草湯主之方

桂枝四兩去皮　甘草二兩炙

右二味，以水三升，煑取一升，去滓頓服。傷寒論輯義云：按此方與甘草乾薑湯、芍藥甘草湯，立方之妙在于單捷。

此承前章發汗後不可更行桂枝湯，而論發汗過多，氣液暴虛，餘邪尚在於表，而其氣上衝，心下悸者也。其人心氣忪怯而不勝衝逆，故叉手自冒心胸，以鎮壓之。心下悸，故又欲得按撫也。因桂枝甘草湯主之頓服，以散外邪，緩急迫，衝氣乃低而悸已矣。此與心下有水氣而悸者迥別。

發汗後，其人臍下悸者，欲作奔豚。奔，疾走也。奔豚者，病名也。氣從少腹

上衝心。其狀如豚之奔走。故曰奔豚也。此以臍下悸。知欲作奔豚也。茯苓桂枝甘草大棗湯主之。方

茯苓半斤　桂枝四兩去皮　甘草二兩炙　大棗十五枚擘

右四味。以甘爛水一斗。先煮茯苓。減二升。傷寒類方云。先煮茯苓者。凡方中專重之藥。法必先煮。內諸藥。煮取三升。去滓。溫服一升。日三服。作甘爛水法。取水二斗。置大盆內。以杓揚之。水上有珠子五六千顆相逐。取用之。字彙云。爛。熟也。顆。小頭。今言物一顆。猶一頭也。正珍曰。爛與煉同。所謂以杓揚之是也。用甘爛水者。蓋取其甘淡和緩。能收輯穆之功也。

此章乃申明發汗後。氣液虛耗。邪氣及下焦。臍下悸者之治也。臍下悸者。腹氣上迫。而不充於下。因

膀胱氣不和。水停畜而觸逆氣。欲上衝心之機也。故曰欲作奔豚。仍前桂枝甘草伍茯苓大棗。以甘爛水煑服。柔順以降逆氣。導水邪。使從小便去。則不作奔豚矣。若作奔豚。則宜按桂枝加桂湯。

發汗後。腹脹滿者。言腹脹外之甚。而內滿也。而此有虛實。實者。按之則堅痛。虛者。不堅痛。而反快然矣。厚朴生薑甘草半夏人參湯主之。方

厚朴半斤炙去皮　生薑半斤切　半夏半升洗　甘草二兩

人參一兩

右五味。以水一斗。煑取三升。去滓。溫服一升。日三服。

此論發汗後。邪氣盡入而壅於中焦。腹脹滿者也。

腹脹滿者似熱實然此亦發汗餘邪入裏而胃氣不和氣液畱滯之脹滿而非實滿因厚朴生薑甘草半夏人參湯主之以解邪壅行滯氣矣惟忠曰腹滿之在發汗吐下後差其方法者凡三焉論曰吐後此其已吐之也本在胸中今也在胃中故其於腹滿非不大便則或鞕或難是爲調胃承氣湯也論曰下後此其已下之也本在胃中今也在胸中故其於腹滿心煩臥起不安是爲梔子厚朴湯也今曰發汗後此其已發汗也本在於表不關於胸中但胃中不和故其於腹滿不比之上二者是

爲厚朴生薑甘草半夏人參湯也。此三者均爲腹脹滿。差其方法也。如此不可不交以考矣。凡曰發汗若吐若下之後者。雖如不可強拘乎不可不就以推者。觀乎是等之類。可以見已。

傷寒若吐若下後。心下逆滿。氣上衝胸。起則頭眩。汪琥。傷寒辨注云。裏虛氣逆。心下作滿。且上衝於胸膈之閒。更上逆於頭。起則作眩。王宇泰曰。凡傷寒頭眩者。莫不因汗吐下。虛其上焦元氣之所致也。眩者。目無常主。頭眩者。俗謂頭旋眼花是也。靈樞衛氣篇云。上虛則眩。下虛則厥。濟按此臥則不頭眩。故曰起則頭眩。脈沉緊。此先證。而後言脈者。直接續下句。欲令知病在裏者。爲發汗之逆治也。發汗則動經。身爲振振搖者。戰振動搖也。此本頭眩。因發汗則至振振搖也。茯苓桂枝白朮甘草湯主之方

茯苓四兩　桂枝三兩去皮　白术金匱作三兩。　甘草各二兩炙

右四味。以水六升。煮取三升。去滓。分溫三服。

此承傷寒不大便六七日。頭痛有熱。而論若吐若下後之變。故標曰傷寒。以示邪氣既渡也。而次前章舉之者。以氣上衝胸類奔豚。故欲辨別之也。言傷寒邪氣及於裏。乃若吐若下。其證除後。裏虛氣液不化。輸水飲停畜心下。逆滿。氣上衝胸。故起則氣更上逆。將頭眩。是不可使起也。此傷寒餘邪尚在表。因猶可發汗。然其脈沉緊者。水邪與逆氣相搏。犯上焦也。若發汗。則表陽亦亡。將動經。是不可

發汗也而誤發汗亡陽動經則不能主持諸脈便身爲振振搖也乃主茯苓桂枝白朮甘草湯以分利水氣低衝氣矣金匱要略云心下有痰飲胸脇支滿目眩苓桂朮甘湯主之宜併考

發汗病不解此發汗不解寒毒滲進反增劇故曰病不解也反惡寒者虛故也芍藥甘草附子湯主之方

芍藥　甘草各三兩炙　附子一枚炮去皮破八片

右三味以水五升煑取一升五合去滓分溫三服疑非仲景方玉函五升作三升無疑非仲景方五字是成本方作意汪琥曰叔和認爲傷寒病發汗不解而惡寒乃宜發汗因疑此方爲非仲景意似不可用故外臺方議亦云若非大汗出又反惡寒其

脈沉微。及無熱證者。不可服也。明乎此。而此方之用。可無疑矣。濟按此說是。然斥爲叔和之語者。非。何則傷寒例云。今搜採仲景舊論。錄其證候診脈聲色。對病眞方有神驗者。擬防世急也。據之則叔和以疑非仲景方者。錄邪。此爲後人之言明矣。

前數章明發汗吐下後餘邪爲患者。此合下二章。乃論發汗病不解者也。蓋可發汗者本邪熱在表也。因發汗病解則不惡寒。發汗病不解者當津耗熱加而內實矣。實者則亦不惡寒。今發汗病不解反惡寒者非寒邪在表。又非內實。故斷曰虛故也。是故於後章熱者不曰反。按芍藥甘草湯章曰傷寒脈浮自汗出小便數心煩微惡寒脚攣急是邪氣在表而自汗出。氣血亡之所致。今此章所論者。是發汗不得其宜。徒氣血損耗而病不解。寒邪進結聚也。此比芍藥甘草湯證則虛甚矣。故更伍附子。以溫散寒結也。宜與彼證相照用之。

發汗若下之。病仍不解。煩躁者。發汗已。若下之。病不解。故曰仍。若者對吐言也。金鑑云。大青龍證。不汗出之煩躁。乃未經汗下之煩躁。屬實。此條病不解之煩躁。乃汗下後之煩躁。屬虛。然脈之浮緊沉微。自當別之。恐其誤人。故諄諄言之也。茯苓四逆湯主之方

此方茯苓爲之主。故以名。不稱四逆加人參茯苓湯者。此古之一方劑。而非仲景氏之所加也。

茯苓四兩　人參一兩　附子一枚生用去皮破八片　甘草二兩炙

乾薑一兩半

右五味。以水五升。煮取三升。去滓。溫服七合。日二服。玉函。三升。作一升二合。溫服以下。作分溫再服四字。千金翼。三升。作二升。

此章乃申明發汗若下之病。仍不解。煩躁者也。此與乾薑附子湯證相類。而彼下後復發汗。乃內虛寒在裏而外微熱。故晝日煩躁不得眠。夜而安靜。此發汗表虛。若下之裏虛。而病仍不解。因寒邪入裏。氣液不行。毒氣逆迫心下。而煩躁。比彼則虛寒甚矣。故茯苓四逆湯主之。以逐寒降逆氣也。

發汗後。惡寒者。虛故也。此前發汗病不解。反惡寒者虛故也之略言。而加後字者。確實發汗其證除也。不惡寒。但熱者實也。程應旄曰。同一汗後。而虛實不同者。則視

其人之胃氣。素寒素熱。而氣隨之轉也。可見治病須顧及其人之本氣為主。當和胃氣。與

調胃承氣湯方（玉函云。與小承氣湯。）

芒消（半升） 甘草（二兩炙） 大黃（四兩去皮清酒洗）

右三味。以水三升。煮取一升。去滓。內芒消。更煮兩沸。頓服。

此承前章反惡寒及若下之。而論不惡寒但熱實可下者也。素問通評虛實論云。邪氣盛則實。精氣奪則虛。按邪氣者。是人身常無之者。故以盛為實。精氣者。是人身固有之者。故以奪為虛也。今熱曰實。寒曰虛者。蓋精氣虛者。寒邪進而惡寒。精氣盛

者與邪氣相搏而熱實故也言發汗其證除後惡寒者虛故寒邪淺進也不惡寒但熱者是津液虛耗熱氣益加直實於胃家也故當和胃氣與調胃承氣湯頓服以救其急也又按以上三章其證不具舉者專辨或成虛寒或成熱實之由故也

太陽病發汗後大汗出胃中乾煩躁不得眠欲得飲水者少少與飲之令胃氣和則愈張思聰曰不可恣其所欲須少少與飲之若脈浮小便不利微熱消渴者方有執曰消言飲水而小便又不利則其水有似乎内自消也渴言能飲且能多也五苓散主之方卽猪苓散是傷寒明理論云五苓之中茯苓爲主故曰五苓散

豬苓十八銖去皮 澤瀉一兩六銖 白朮十八銖 茯苓十八銖
桂枝半兩去皮

右五味，擣爲散，以白飲和服方寸匕，日三服。玉函云：張仲景曰：散能逐邪風溼痹，表裏移走，居無常處者，散當平之。傷寒論輯義云：白飲，諸家無注，醫壘元戎作白米飲，始爲明晰。活人書作白湯，恐非。本草序例引陶隱居名醫別錄云：方寸匕者，作匕正方一寸，抄散取不落爲度。正珍曰：宋洪遵泉志有方寸匕圖，可參考。多飲煖水，汗出愈，如法將息。煖，溫也。此對冷水曰煖水，卽溫湯也。散服多飲煖水者，爲和胃氣，助藥力，徐徐出汗，通小便也。若令湯服，則恐直走于表，復汗暴出，而邪氣不除，益小便不利也。不可不謹如法將息矣。

此自前太陽病脈浮緊無汗章，服藥已微除，其人發煩目瞑，來且對上章煩躁及熱實，當和胃氣而論發汗其證除後大汗出胃中乾煩躁不得眠若脈浮小便不利微熱消渴二證辨邪氣除不除也故標曰太陽病以示專表發矣此章所論煩躁不得眠者劇於上章煩躁然彼發汗若下之病仍不解此發汗邪氣已除但以大汗出胃中乾故胃氣不和壹逆上之所致而無餘證故欲得飲水者少少與令胃氣和則逆氣降而愈此與前當和胃氣相照以論熱實者下之和但胃中乾者與水和之法也若脈浮小便不利微熱消渴者微熱謂身有微熱此對前熱者實也言其微也消渴欲得飲水

之甚也。此表邪未全除。而患及下焦。膀胱氣不化輸。因雖與水不和。反水停畜而不行。津液益涸竭也。故與五苓散以散餘邪。利畜水。多飲煖水。和胃氣。則膀胱氣化亦行。氣液宣布。汗出而愈矣。

發汗已。（言發汗畢也。）脈浮數煩渴者。（煩悶而渴也。）五苓散主之。

此章申明五苓散之一證也。按脈浮數者。比前章脈浮者。則熱多也。煩渴。比前煩躁消渴。則稍輕矣。今熱多而不至消渴者。此以不由大汗出。故胃乾不甚也。其不言小便不利者省略也。蓋其脈證雖有小異。內因不殊。故同治方。又按傷寒發汗已解。

半日許復煩脈浮數者與此脈證相類但彼餘邪在表而不渴故可更發汗宜桂枝湯此邪熱及下焦有畜水而渴故五苓散主之又煩渴者似白虎加人參湯證而白虎加人參湯證者邪熱盛於裏而無畜水亦是爲異矣

傷寒汗出而渴者五苓散主之不渴者茯苓甘草湯主之方

茯苓二兩　桂枝二兩去皮　甘草一兩炙　生薑三兩切

右四味以水四升煑取二升去滓分溫三服

此承傷寒若吐若下後水飲停畜心下逆滿氣上

衝胸而舉傷寒汗出而渴者不渴者辨其治法也蓋汗出而渴者此鬱熱暴發津液爲之越出而邪氣及下焦膀胱氣液不和水停故也仍亦五苓散主之汗出當渴而不渴者邪氣及上焦氣液不行水飲停於心下也金匱要略云嘔家本渴渴者爲欲解今反不渴心下有支飲故也之類因主茯苓甘草湯以散表邪導水氣矣論曰傷寒厥而心下悸宜先治水當服茯苓甘草湯却治其厥不爾水漬入胃必作利也亦可以知其意此但言渴不渴而不詳者提方而略證也按茯苓桂枝白朮甘草

湯證之稍輕者。而心下悸嘔者。宜此湯。夫茯苓桂枝白朮甘草湯。於茯苓甘草湯方內。去生薑。加白朮。五苓散。於茯苓桂枝白朮甘草湯方內。去甘草。加豬苓澤瀉之異已。所以相承接而論也。又茯苓桂枝甘草大棗湯。茯苓乾薑白朮甘草湯。亦皆僅一味去加。而其證候大殊者。以各所主異故也。是古人精意微妙之所存焉。宜審病之淺深緩急。證候之標本。挍方劑之分量及煮服之法以知也。非止此等之方然。他方亦然矣。

中風發熱。六七日不解而煩。此脫太陽二字也。發熱六七日者。為太陽中風也明矣。有表裏證。此中風，當有仍汗出惡風之表證；六七日不解而煩者，當有邪熱內鬱之裏證。故曰有表裏證也。而今略言之，不舉其證者，欲專見水逆證也。渴欲飲水，水入則吐者，名曰水逆。成無己曰：以其因水而吐，故名水逆。五苓散主之。

此自太陽中風不汗出而煩躁來，且承上諸章略其脈證，特舉其異者，以示其治也。蓋太陽中風者，邪氣微淺，而發熱汗出，乃發熱六七日，則邪氣退當易解，而不解而煩，有表裏證，渴欲飲水，水入則吐者，是因汗出日久，津液虛脫，邪熱遂及下焦，膀胱氣不化輸，水飲停畜，益飲益渴，水填滿而逆上也。故名曰水逆。此雖其見證多，以水逆爲主焉。仍五苓散主之。按傷寒者無汗。故前章以汗出起文示其變也。太陽中風者汗出。故太陽中風章曰。不汗出而煩躁亦示其變此章所論者。汗出也。故但煩而不至躁。是故不必言汗。不俟言可知故也。以上二章。非發汗後。而舉於此者。追敘五苓散證也。

未持脈時。病人手叉自冒心。師因教試令咳而不咳者。此必兩耳聾無聞也。咳者。激作聲也。所以然者。以重發汗虛故如此。此言上證之所因也。脈經。手叉。作叉手。不咳。間有。即字。作以下重發其汗虛故也。並是。

此依前發汗過多章。更明重發汗亡陽耳聾者之候法也。言醫至將診脈。病人不應。叉手自冒心胸。

昏蒙也。師因自咳教病人試令咳而不即咳者。此咳聲亦不聞也。乃知其兩耳聾。夫桂枝甘草湯證。可汗而發汗。因其病猶輕。此不可汗而重發汗。因精虛甚而氣逆。故致此重證。王三陽傷寒綱目云。看此病。當常思少陽柴胡證。但強弱自不同耳。

發汗後。飲水多必喘。以水灌之亦喘。玉函多下有者字。是。傷寒論輯義云。按水攻。論中無所致。惟玉函脈經有可水篇。其中一條云。寸口脈洪而大。數而滑云云。鍼藥所不能制。與水灌枯槁。陽氣微散。身寒。溫衣覆。汗出表裏通利。其病即除。正其義也。

此章更論發汗後。水逆致喘者也。錢潢曰。發汗後。欲得飲水者。少少與之可也。若飲水過多。則胃虛不運水冷難消必至停畜不滲水寒侵肺呼吸不利故肺脹胸滿氣逆而喘急也若以冷水灌濯則榮衛先已空疎使寒邪入腠水氣侵膚内逼於肺而亦爲喘也

發汗後水藥不得入口爲逆若更發汗必吐下不止

此依前章欲飲水水入則吐而論水漿藥汁不得入口及吐下不止之逆變以辨其別也言發汗後水藥不得入口者是以發汗不得其宜故亡陽精虛寒邪逆格於上焦也故爲逆此與水逆吐水不同若更發汗則胃氣潰敗寒進而必至吐下不止

矣又按以上三章非仲景氏之舊論蓋水藥不得入口者非病毒極劇乃發汗爲逆故也重發汗則致必兩耳聾吐下不止發汗之害不可不慎也如夫水逆五苓散所主醫家不察但見其發熱而煩因更發汗則亡陽邪氣内攻是不但水逆此類甚多故王叔和五苓散章下附此三章以爲補敘此示發汗誤治易見也

發汗吐下後虛煩不得眠虛煩者謂精虛無邪實而煩厥利嘔噦病篇云下利後更煩按之心下濡者爲虛煩即是正珍曰發汗吐下後諸證皆去但胸中熱煩不得眠者是大邪已去正氣暴虛而餘熱内伏之候故謂之虛煩雖則曰虛其實非爲眞虛也亦惟汗吐下後一時之虛已若

劇者必反覆顛倒音到下同心中懊憹上烏浩下同下奴冬切下同梔子豉湯主之成無己曰心中鬱鬱然不舒憒憒然無奈比之煩悶而甚者懊憹也張思聰曰懊憹者煩之甚也反覆顛倒不得眠之甚也若少氣者梔子甘草豉湯主之惟忠曰少氣與短氣稍異氣息吸吸如將絕狀是謂之少氣氣急促迫是謂之短氣也若嘔者梔子生薑豉湯主之凡方名枚舉藥味者仲景氏臨證所製故不曰加甘草加生薑

梔子豉湯方

梔子十四箇擘　香豉四合綿裹

右二味以水四升先煑梔子得二升半內豉煑取一升半豉腐熟豆故先煑梔子後內豉去滓分爲二服溫進一服得吐者止後服惟忠曰按瓜蔕散梔子豉湯皆吐藥也惟劇易之分耳故在彼則曰胸中實於此則

曰虛煩可見虛實字相對也惟於瓜蒂散必乎吐故曰得快吐乃止於梔子豉湯不必乎吐故曰得吐者止後服濟按凡本論諸方服法曰進者止此以下五方已是虛煩者雖如難堪此藥强與之謂歟

梔子甘草豉湯方

梔子十四箇擘　甘草二兩炙　香豉四合綿裹

右三味以水四升先煑梔子甘草取二升半内豉煑取一升半去滓分二服溫進一服得吐者止後服

梔子生薑豉湯方

梔子十四箇擘　生薑五兩　香豉四合綿裹

右三味以水四升先煑梔子生薑取二升半内豉煑取一升半去滓分二服溫進一服得吐者止後服

前章論太陽病發汗後大汗出胃中乾煩躁不得眠此章乃明發汗吐下悉經之諸證除後虛煩不得眠之諸治也虛煩不得眠若劇者必反覆顛倒心中懊憹是發汗吐下後精氣暴虛而餘邪復窒於心胸氣液瘀鬱之所致故煩悶甚也此不速去鬱邪則其變非易矣因梔子豉湯主之以解胸中邪壅得微吐則氣液行而安矣若少氣者精虛甚而氣急迫也今雖虛甚此非久虛乃梔子甘草豉湯以兼緩急若嘔者胃氣不和瘀液逆也乃梔子生薑豉湯以兼散瘀液和胃是虛煩不欲得大吐

也惟忠曰金匱要略亦曰虚煩不得眠是爲酸棗仁湯也證同而方異何以別之曰或因熱或否矣稽梔子豉湯或曰煩熱或曰身熱不去或曰其外有熱今曰反覆顛倒心中懊憹豈非咸因熱乎如酸棗仁湯則不因熱矣證雖似因不同方烏不異之也五苓散曰煩躁不得眠此因大汗出胃中燥猪苓湯曰心煩不得眠此因下利嘔渴豈可復混之乎反覆顛倒卽躁之太甚也心中懊憹似惡心而煩之太甚也虚煩之極或至于此也或至于此猶爲梔子豉湯也

發汗若下之。而煩熱胸中窒者。此發汗若下之。病應解而不解。煩熱胸中窒。故用而字。不曰後。煩熱。即虛煩身熱也。傷寒明理論云。煩熱與發熱。若同而異也。發熱者。怫怫然發於肌表。有時而已者。是也。煩熱者。爲煩而熱。無時而歇者。是也。二者均是表熱。而煩熱爲熱所煩。非若發熱而時發時止也。方有執曰。窒者。邪熱壅滯而窒塞。未至於痛。而比痛較輕也。正珍曰。胸中窒者。未至心中懊憹之劇。惟上焦鬱結而不快。是也。梔子豉湯主之。

此明前證之稍異者也。言發汗邪熱未除。若下之而裏虛煩熱。胸中窒者。餘邪鬱滯於胸中也。仍亦爲梔子豉湯之所主治。

傷寒五六日。傷寒邪氣犯於裏之時日。大下之後。言過當也。身熱不去。身熱。非發熱。即與傷寒不大便六七日。有熱同。謂身中熱也。裏實當下者。必身熱。乃下之。其證除者。身熱

亦應去故曰不去心中結痛者未欲解也梔子豉湯主之
此承傷寒汗出而渴及上章而更論傷寒下後致
梔子豉湯證也蓋五六日邪熱既實於裏法當下
也今下之後身熱不去者此外邪未全解故也外
邪未解而大下之故裏虛餘邪逆而心中結痛此
比胸中窒邪熱淺伏於心中而不發動故反不煩
然此亦餘邪乃非若胸中實之甚故曰未欲解也
雖非若胸中實病毒在乎心胸者不吐之則或有
至危篤者故梔子豉湯溫進一服得吐者止後服
傷寒下後心煩腹滿臥起不安者梔子厚朴湯主之

方瀨穆傷寒詁云方名後人脫枳實二字

梔子十四箇擘　厚朴四兩炙去皮　枳實四枚水浸炙令黃

右三味以水三升半煑取一升半去滓分二服溫進一服得吐者止後服

此直承前章故略曰數心煩腹滿者餘邪微於胸中而及腹中也故不至心中懊憹心煩者煩熱滾也而比心中結痛則邪纔微熱欲發故不結痛心煩臥則不安故乍起腹滿起則不安故乍臥皆不能久也今邪在胸腹而心煩腹滿故臥起不安也此亦輕於反覆顛倒是所以去香豉用厚朴枳實

治心腹痞滿。惟忠曰。心煩腹滿。似調胃承氣湯。然此獨在下後。而不實於胃。故雖似。而大異矣。夫既不實於胃。則又似厚朴生薑甘草半夏人參湯。然彼獨在發汗後。而不至心煩臥起不安。故雖似亦頗異矣。

傷寒。醫以丸藥。大下之。身熱不去。微煩者。玉函云。張仲景曰。若欲治疾。當先以湯洗滌五藏六府。開通經脈。理導陰陽。破散邪氣。潤澤枯槁。悅人皮膚。益人氣血。水能淨萬物。故用湯也。次當用丸。丸能逐沉冷。破積聚。消諸堅癥。進飲食。調榮衛。濟按丸藥亦諸下藥之丸。斷爲巴豆甘遂等丸。非也。此誤治。故不曰後。微煩。前心煩之微。梔子乾薑湯主之。方

梔子十四箇擘　乾薑二兩

右二味以水三升半煮取一升半去滓分二服溫進一服得吐者止後服

此章更言傷寒熱實者當用湯藥下之而醫以丸藥大下之逆變身熱不去微煩者大下裏虛胃氣不和餘邪逆於胸中水氣結聚也仍主梔子乾薑湯以解邪熱散水結此只咎丸藥者蕩滌邪熱之功不專耳非以丸藥下之故身熱不去微煩也若因丸藥則如前章大下之後身熱不去何邪論曰傷寒十三日過經讝語者以有熱也當以湯下之醫以丸藥下之非其治也即此意又按梔子豉湯

三章。其證雖稍異。餘邪在乎胸中則一也。以上二章所論。邪氣所在稍異也。因改作其方。然而以餘邪專在乎胸中。故皆以解邪壅得微吐爲効也。是故並曰得吐者止後服。病之所在。不可不審察矣。

凡用梔子湯。該梔子諸劑。故曰梔子湯。病人舊微溏者。字彙云。溏。淖也。淖。泥也。濟按微溏。謂胃中不和。水穀不別。而微瀉下也。不可與服之。

此總前梔子豉湯以下數章而記之。蓋梔子湯爲吐餘邪鬱於胸中者之劑。今雖見其證。病人舊微溏者。胃中虛寒。而非止一時之虛。恐有重損胃氣。大泄下之害。故曰不可與服之也。

傷寒論繹解
四

ヤ武9
392
4

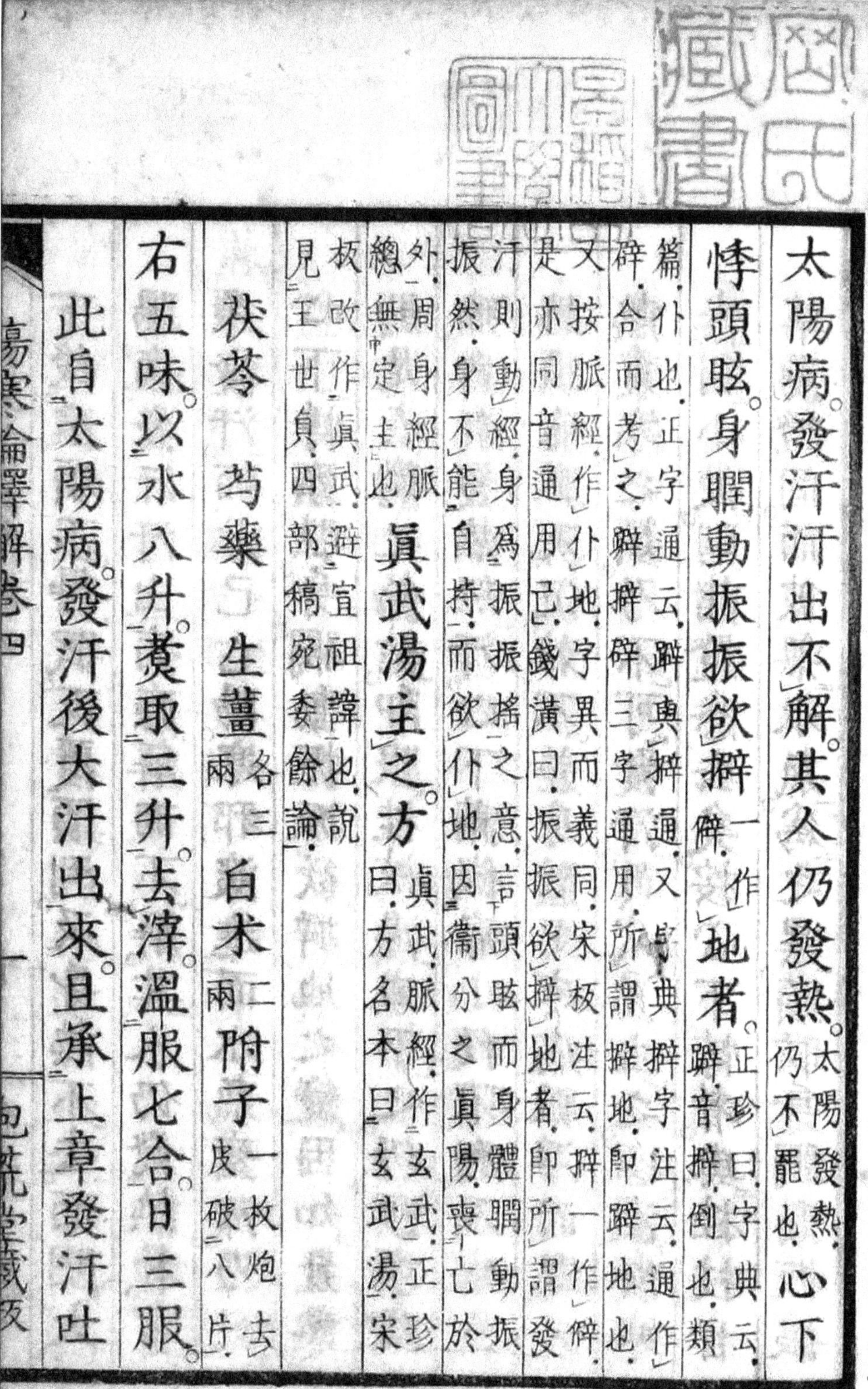

太陽病。發汗汗出不解。其人仍發熱。太陽發熱。仍不罷也。心下悸頭眩。身瞤動振振欲擗一作僻。地者。正珍曰。字典云。躃音擗。倒也。類篇。仆也。正字通云。躃與擗通。又字典擗字注云。通作辟。合而考之。躃擗辟三字通用。所謂擗地。即躃地也。又按脈經。作仆地。字異而義同。宋板注云。擗一作僻。是亦同音通用已。錢潢曰。振振欲擗地者。即所謂發汗則動經。身為振振搖之意。言頭眩而身體瞤動振振然。身不能自持。而欲仆地。因衛分之眞陽喪亡於外。周身經脈總無定主也。眞武湯主之。方眞武。脈經。作玄武。正珍曰。方名本曰玄武湯。宋板改作眞武。避宣祖諱也。說見王世貞四部稿宛委餘論。

茯苓　芍藥　生薑各三兩　白朮二兩　附子一枚炮去皮破八片。

右五味。以水八升。煑取三升。去滓。溫服七合。日三服。

此自太陽病發汗後大汗出來。且承上章發汗吐下後虛煩不得眠反覆顛倒及身熱不去而明太陽病發汗汗出病應解而不解其人仍發熱者當須發汗而此已亡陽寒邪滲進而水氣壅滯乃致心下悸頭眩身瞤動振振欲擗地之變因知發熱則是表鬱之餘結即服桂枝湯或下之仍頭項强痛翕翕發熱無汗心下滿微痛小便不利及病發熱頭痛脈反沉若不差身體更疼痛脈浮而遲表熱裏寒之類乃不可發汗眞武湯主之以溫散寒毒利小便則諸證悉去矣按心下悸者與桂枝甘草湯證同而彼無水氣爲之異頭眩身瞤動振振

欲擗地者。類茯苓桂枝白朮甘草湯證。但彼則專乎氣上衝。故頭眩在其起。而不在其臥也。此則專乎身瞤動。故頭眩在其常。而不能起坐也。是皆由邪氣淺深。與其所兼之異然矣。

咽喉乾燥者。不可發汗。方有執曰。末後無發汗之變。疑有漏落。

金鑑云。咽喉乾燥。津液不足也。更發其汗。則津液益枯。故戒有可汗之證。亦不可發汗也。

淋家。謂平素患淋疾之人。淋者。小便淋瀝難通之病名。不可發汗。發汗必便血。

淋家者。邪熱在於下焦。膀胱氣不化。而尿道燥。更發汗則津液虛耗。而熱氣加。遂逼敗血。必小便血。

瘡家。謂癰疽潰瘍。久不差人。雖身疼痛。不可發汗。汗出則痓。

瘡家者。血液虛脫。雖身疼痛。不可發汗。汗出則氣液亡。邪氣直犯於經筋。而發痓。

衄家。不可發汗。韓氏曰。此人素有衄血證。非傷寒汗後。如前條之衄也。故不可發汗。汗出必額上陷。脈急緊。直視不能眴。音喚。又胡絹切。下同。一作瞬。不得眠。眉上曰額。脈者。是經脈也。眴與瞬同。目搖也。傷寒論輯義云。額上陷。謂額上肉脫而陷下也。

衄家者。上經脈之血虛。若發汗。則氣液更亡。經脈乾澀。因毒氣逆迫。筋脈牽引。致脈急緊。直視不能眴。不得眠之逆變。

亡血家。病吐血下血。產後金瘡脫血人。不可發汗。發汗則寒慄而振。

亡血家誤發汗則氣液脫經氣內肅而寒邪王故寒慄而振也。

汗家。自汗盜汗久不止人。重發汗必恍惚心亂。此汗家。故曰重。恍惚失意也。心亂心神憒亂也。錢潢曰。恍惚者。心神搖蕩而不能自持。心亂者。神虛意亂。而不得自主也。小便已陰疼與禹餘糧丸。方本闕。濟按咽喉乾燥章以下。言發汗之逆變。而並不言其治方。今獨此章處治方者。不能無疑。且方闕。亦難詳其意矣。

邪熱鬱蒸於心胸者善自汗盜汗出而血液損耗故重發汗則氣液更亡心神虛衰必恍惚心亂津亡尿道亦燥故小便已陰中疼。

病人有寒。固有內寒。論曰自利不渴者屬太陰。以其藏有寒故也。當溫即是。復發汗胃中冷必吐蚘。一作逆。濟按此有寒而發汗，令胃中冷，故曰復。蚘者，由胃中有食物停滯，而氣鬱生之蟲也。譬如腐草生螢，非每人有之也。

病人有寒者，當溫散之，復發汗則氣液亡，胃中更冷，乃蚘不能安，故必吐蚘也。以上七章，就發汗之變而言，雖有可發汗之證，素有所患，而氣血虛脫者，不可强發汗之義也。雖然若是氣血不甚虛者，則發汗無害矣。故滚拘泥此說，恐反失其眞，而致差誤焉。惟宜審明其證，而後從之也。

本發汗而復下之，此爲逆也。若先發汗，治不爲逆。本先下之，而反汗之，爲逆。若先下之，治不爲逆。此發汗且下之故曰復也。方有執曰復與覆同。古字通用。復亦反也猶言誤也。此說非也。何則一章中曰復曰反者。不有無其義也。蓋外感病者先發汗後下之爲順。故曰復先下之。後發汗爲逆。故曰反也。汪琥曰大約治傷寒之法。表證急者。卽宜汗。裏證急者。卽宜下。不可拘拘於先汗而後下也。汗下得宜。治不爲逆是也。玉函無二若字。先發汗。先下之下。並有者字是

此爲後章先論汗下治法之順逆也。本發汗其證未全除而復下之。此爲逆也。其先發汗者。治不爲逆是言下逆也。本先下之未解而反汗之爲逆。其先下之者。治不爲逆是言汗逆也。又按前七章及此章雖義如不乖。然亦有所可疑。蓋王叔和撰次補入之語也。故眞武湯下直續傷寒醫下之讀

傷寒醫下之續得下利清穀不止言續下之而下利至甚也清穀者謂食穀不化澄徹清冷也類聚方集覽云清穀之清與圊通者鑿也言穀食不化無臭穢故曰清穀小便清利亦爾言飲而直尿且色不變也身疼痛者急當救裏後身疼痛清便自調者急當救表救裏宜四逆湯救表宜桂枝湯

此章文意專在于救裏宜甄味救者逐去邪氣而保助正氣之謂也有惟溫散裏寒而表證從除者如次章所論者是也故更曰後身疼痛見以其不除也張錫駒曰凡曰急者急不容待緩則無及矣惟忠曰清穀已止大便依常是之謂清便自調也

此承傷寒五六日大下之及上章發汗汗出不解仍發熱心下悸頭眩身瞤動振振欲擗地者宜治裏之義而論之也言傷寒未至五六日邪熱實於

裏。而醫誤下之。因胃氣暴脫。而寒邪洊進。續得下利清穀不止。身疼痛者。不可發汗。急當救裏。不爾則恐邪氣盡內陷。至促命期矣。裏寒除後。身疼痛。清便自調者。裏已和。表未和也。急當救表。不爾則恐表邪入。再傷胃氣矣。論曰。下利清穀。不可攻表。汗出必脹滿。是所以先救裏。宜四逆湯溫散也。又曰吐利止。而身痛不休者。當消息和解其外。是所以後救表。宜桂枝湯和解也。又按凡人身有疾病也。雖其證多端。其變無窮。然要之不出于寒熱二道之外。而藥石亦有寒熱溫涼之性。因察寒熱虛實量輕重緩急。知病毒之所在。而考本論及金匱。所載之藥方之性能。與溫熱之藥。以除寒毒。而復其陽。投寒涼之藥。以去邪熱。而救其陰。則莫病而不治矣。古謂毒藥攻邪。五穀爲養。養病毒除。則得穀肉菓菜之養。陰陽自和。必自愈。若雖病毒除。而不能飲食。形體疲勞者。死之兆。非藥石之所知也。故醫療病也。以早除病毒。令能飲食爲專務矣。若病而能食者。用藥後。變不食者。病進也。此或屬誤治。是故今發汗吐下後段。始言凡病若發汗若吐若下。若亡血亡津液。陰陽自和者。必自愈。次舉乾薑附子湯中擧芍藥甘草附子湯及調胃承氣湯終擧四逆湯此與傷寒脈浮自汗出之章始擧甘草乾薑湯中擧芍藥甘草湯及調胃承氣終擧四逆極其變意同是盡辨其寒熱虛實隨證治之義也

病發熱頭痛脈反沉若不差身體疼痛（玉函疼上有更字是）當救其裏宜四逆湯方

甘草（二兩炙）　乾薑（一兩半）　附子（一枚生用去皮破八片）

右三味以水三升煑取一升二合去滓分溫再服强人可大附子一枚乾薑三兩

此依前章而更明舍表當救裏之義故雖非汗吐

下後亦舉於此也言病發熱頭痛者脈當浮而反沉沉者爲病在裏則發熱頭痛之表證應差而若不差身體更疼痛者是寒毒既盛於裏而表鬱尚存經氣澀滯故也因當救其裏爲法乃與四逆湯以溫散寒毒則表鬱從除表裏和而愈矣少陰病身體痛手足寒骨節痛脈沉者附子湯主之之類是也宜併考以知其意矣或問曰脈沉者爲病在裏病在裏者必當有裏證而不舉之反詳言其所兼之表證者何答曰是恐人見其有表證疑惑以爲非四逆湯之所宜而反失其機用故如裏證則

照于脈與方而略之。舉其所兼之表證。以示雖有表證不拘之。直就裏證施治。則表證亦可愈。令後學辨別其疑途也。可見古人用意于章句間之精微矣。論中此例多。宜審明。

太陽病。先下而不愈。因復發汗。以此表裏俱虛。其人因致冒。程知曰、冒者、神識不清、如有物爲之冒蒙也、冒家汗出自愈。所以然者。汗出表和故也。裏未和。然復下之。脈經、裏未和、作表和、是

此章言太陽病有應下之證。先下之而不愈。反裏虛。因復發汗。遂表虛。虛氣逆鬱於頭中。其人因致冒。冒家汗出自愈。所以然者。氣液復而表裏實。乃

鬱氣升汗發散表和故也表和然後復下之除初不盡之裏邪則愈

太陽病未解脉陰陽俱停一作微濟按停者謂脉停止而不見必先振慄汗出而解但陽脉微者先汗出而解但陰脉微一作尺脉實者下之而解若欲下之宜調胃承氣湯一云用大柴胡湯濟按脉經作屬大柴胡湯證

此章言太陽病當解而未解脉陰陽俱停者氣血虛耗而餘邪壅脉氣沉滯陽鬱於裏鬱極而後發於表故必先振慄汗出餘邪散而解但陽脉不停而見微者邪壅淺而陽氣通故不振慄先汗出而

解。但陰脈不停而見微者。邪壅滯而胃氣不和。氣鬱而熱實。熱氣動陰。故下之而解。若欲下之。爲調胃承氣湯。救其急之所宜。

太陽病。發熱汗出者。此爲榮弱衛强。故使汗出。欲救邪風者。宜桂枝湯。（方有執曰。不曰風邪。而曰邪風者。以本體言也。）

此章言太陽病發熱汗出者。是邪氣淺唯犯於衛分。而不入榮中。衛氣與邪氣相拜熱蒸泄榮分之津液。而榮衛不諧和。爲榮弱衛强。故使汗出也。仍與桂枝湯。除邪風。榮衛和則愈。按右三章疑非仲景氏之舊。論何則發汗吐下後之段。既終于傷寒醫下之之章。而今復舉之者。篇次不接續。且其說本論中已有明斷。何數數論之乎。蓋叔和之撰次。

傷寒五六日中風。按傷寒者。以寒邪深劇。故必惡寒。而大抵至五六日。則邪氣入裏而熱實矣。故論曰。傷寒五六日。大下之。傷寒六七日。結胸熱實。傷寒六七日。目中不了了。此皆裏實表解。而惡寒罷也。故以下解之。然而今此傷寒五六日。而邪熱不結實。尚能表發。而邪進不甚急。如太陽中風緩證者。而致往來寒熱等證。因爲辨別其緩者。更曰中風也。論曰。凡柴胡湯病證而下之。若柴胡證不罷者。復與柴胡湯。必蒸蒸而振。卻復發熱汗出而解。是以熱氣不結實。尚能達於表故也。又曰。傷寒八九日。風溼相搏。是傷寒經日之間。變見風證也。可以徵矣。若謂無分傷寒中風。至五六日。其致一。則是文無主客輕重也。不可不察。

往來寒熱。寒邪壅伏陽氣於裏。則惡寒。陽氣鬱而發於外。則發熱。故互寒熱也。錢潢曰。往來寒熱者。或作或止。或早或晏。非若瘧之休作有時也。

胸脇苦滿嘿嘿

不欲飲食心煩喜嘔嘿與默同不語也靜也嘿嘿者神機昏鬱也喜欣也悅也喜嘔者嘔則覺氣少疏通故喜好也按小柴胡湯證雖多唯胸脇苦滿爲之主的餘證皆發於胸脇苦滿也而今先言往來寒熱者是欲明雖邪氣淺犯於胸脇正邪分爭而熱氣尚能表發也或胸中煩而不嘔或渴或腹中痛或脇下痞鞕或心下悸小便不利或不渴身有微熱或咳者小柴胡湯主之方

柴胡半斤　黃芩三兩　人參三兩　半夏半升洗　甘草炙

生薑各三兩切　大棗十二枚擘

右七味以水一斗二升煑取六升去滓再煎取三升溫服一升日三服若胸中煩而不嘔者去半夏人參加括樓實一枚半夏燥痰飲而治嘔吐人參解心下痞鞕行氣液括樓實解胸中痰飲鬱

結。治心痛。若胸中煩而不嘔者。邪氣專鬱結於胸中。而不犯心下胃口。故去半夏人參。加栝樓實也。若渴玉函。有者字。是去半夏。加人參合前成四兩半。栝樓根四兩。栝樓根潤燥清熱。而治渴。若渴者。邪氣結於心下。氣液不行。熱氣迫胃。引津液急。而眞陰乾燥之所致。乃不宜燥藥。故去半夏。加人參栝樓根也。若腹中痛者。去黃芩。加芍藥三兩。黃芩氣味苦寒。除胸腹熱。芍藥治腹裏拘急而痛。若腹中痛者。邪氣及腹中。而結聚。與正氣相搏也。乃不宜苦寒。故去黃芩。加芍藥也。若脇下痞鞕。玉函。有者字。是去大棗。加牡蠣四兩。大棗味甘。安中滋陰。和諸藥。牡蠣除水飲瘀滯。治胸腹悸動。若脇下痞鞕者。邪氣及脇下。而與水飲結固。若甘味過則致中滿。乃不宜大棗。故去之。加牡蠣也。若心下悸。小便不利者。去黃芩。加茯苓四兩。茯苓導停水。利小便。而治悸。若心下悸。小便不利者。水飲湊於心下。而阻氣。乃不宜苦寒。故去黃芩。加茯苓也。若不渴外有微熱者。

去人參。加桂枝三兩。溫覆微汗愈。（桂枝散外邪。而治上衝。若不渇。外有微熱者。邪氣尚在於外。而不犯心下。故去人參。加桂枝。溫覆微汗愈。）若咳者。去人參大棗生薑。加五味子半升。乾薑二兩。（生薑散胸膈滯氣。而治嘔吐。五味子斂降逆氣。而治咳。乾薑溫散寒飲。而治咳嗽。若咳者。邪氣并寒飲。逆於喉間。而氣道不利。乃非人參大棗生薑之所宜。故去之。加五味子乾薑也。）

此與前傷寒五六日。大下之。及傷寒六七日。結胸熱實相照。而辨其緩急。擧緩者。更設中風名也。往來寒熱。胸脇苦滿。嘿嘿不欲飲食。心煩喜嘔。是寒邪不甚急。鬱於胸脇。熱氣不結實。尚能表發。而正邪分爭也。或以下證者。因邪氣之所在稍異。其證或見或無見也。故小柴胡湯主之。以解胸脇之邪熱。則諸證悉除矣。此論傷寒五六日中風。柴胡湯之正證。以下及其變也。或問曰。傷寒五六日。而變致緩證。爲辨別之。更設中風名。雖然今以往來寒熱等證照傷寒五六日邪熱結實可下者。則無中風名字。亦緩急自明也。何煩曰傷寒。而更曰中風也。願聞其説。答曰。此章以下。專論傷寒之緩急。乃以其緩者。爲柴胡湯等之所宜。以其急者。爲陷胸湯之所主。而傷寒者。本此急劇證也。因爲別其緩者。先於此章。更曰中風。是以其義亘數章故也。若但此一章則不及更設中風名矣是故後章有冐首傷寒中風者也曰然則太陽中風變急劇者亦當曰傷寒以辨別之而其不言者何也請再悉之曰傷寒中風俱於太陽病中設此名然傷寒者急劇其毒濃進轉屬陽明少陽太陰故單曰傷寒以爲病名因於其證變緩者則不可不辨別之也中風者邪氣淺緩唯止太陽證不轉屬故標曰太陽中風因其變急劇非如傷寒故曰不汗出而煩躁曰發熱六七日不解而煩有表裏證曰下利嘔逆表解者乃可攻之此皆雖邪氣濃不結實於裏熱

氣尚能表發也。且此不亘數章。是所以於中風不曰傷寒也。又問於桂枝湯、麻黃湯、承氣湯、四逆湯之正證。則舉其脈。今此論柴胡湯正證。不言脈者何也。曰此以邪氣半在裏半在外。其脈不一定。故也。是故於柴胡湯之脈。或曰浮細。或曰細。或曰弦浮大。或曰沉緊。凡病涉表裏。則其脈不定。故不言脈者多矣。夫若桂枝之浮弱。麻黃之浮緊。承氣之沉實。四逆之沉微。則病偏表裏。而其脈大抵定。故也。是故或有直就其脈施治者。因又知惟主脈以捄療之非矣。

血弱氣盡腠理開邪氣因入與正氣相搏結於脇下

血弱氣盡謂因汗出氣液亡之甚也所謂奪汗者無血即是也

正邪分争往來寒熱休作有時嘿嘿不欲飲食藏府相連其痛必下邪高痛下故使嘔也

一云藏府相違其病必下脅鬲中痛

小柴胡湯主之

此追論前證之所因也病在表之時或自汗出或發汗氣液亡致榮養外之血弱衞護外之氣盡腠理疎開邪氣因入於裏與正氣相搏結於脇下也邪氣欲犯入於內正氣欲進出於外而分争故往來寒熱正邪相離則退休復集則發作故有時也邪熱鬱於胸脇故嘿嘿不欲飲食正邪分爭及於

脇下故曰藏府相連其痛必下邪從外犯胸脇故曰邪高今邪在於胸脇而痛下胃氣爲之不和而逆故使嘔也仍小柴胡湯主之疑非仲景氏之意

服柴胡湯已渴者屬陽明方有執曰已畢也渴亦柴胡或爲之一證然非津液不足水飲停逆則不渴或爲之渴寒熱往來之暫渴也今服柴胡湯已畢而渴則非暫渴其爲熱已入胃亡津液而渴可知故曰屬陽明也以法治之錢潢曰但云以法治之而不言法者蓋法無定法也假令無形之熱邪在胃爍其津液則有白虎湯之法以解之若津竭胃虛又有白虎加人參之法以救之若有形之實邪則有小承氣及調胃承氣湯和胃之法若大實滿而潮熱譫語大便鞕難則有大承氣攻下之法若胃氣已實而身熱未除者則有大柴胡湯兩解之法若此之類當隨時應變因證便宜耳

此承前章或渴或不渴而論服湯已渴者也雖或

渴或不渴者。尚宜服小柴胡湯治之。而今服湯已渴者。是熱氣益加。專犯於胃府之所致也。因爲屬陽明。此非柴胡湯之所能制。乃審陽明之法。而治之也。按小青龍湯章云。傷寒心下有水氣。咳而微喘。發熱不渴。服湯已渴者。此寒去欲解也。是言寒邪在表。而心下有水氣。故服小青龍湯溫散而渴者。爲寒去欲解之候。此服小柴胡湯。淸熱而渴者。其熱益加。故爲屬陽明之候矣。

得病六七日。脈遲浮弱。惡風寒。惡風惡寒略言。手足溫。熱氣蘊畜而不發也。醫二三下之。不能食。而脇下滿痛。面目及身黃頸項强。小便黄者。玉函。黄。作難。是。竊按不能食以下。屬茵蔯五苓散證。與柴胡湯後必下重。本渴飲水而嘔者。柴胡湯不中與也。此承上文。而更舉似柴胡證而非者。以戒之也。食穀者噦。此亦言胃氣虛弱至噦。

此接前章傷寒五六日。而辨類柴胡證者。以爲其不中與之戒也。言得病六七日。邪熱在於外。乃脈見浮而兼遲弱者。是本胃氣弱。而不能發越。故惡風寒。手足溫。此不可下也。而醫二三下之。因胃氣益虛。邪氣入及脇下。熱瘀熏津液。乃致不能食。而脇下滿痛。面目及身黄。頸項强。小便難之逆變。此類柴胡證。然胃虛甚。而水熱瘀鬱。故與柴胡湯。解鬱熱。則邪氣悉入裏。瘀毒下流於腸間。大便必下重也。嘔亦柴胡之一證。然本爲水熱瘀鬱。渴而飲水嘔者。水停而嘔也。金匱要略云。先渴卻嘔者。爲水停心下。此屬飲家。此非柴胡之嘔。故不中與也。胃虛水不行。而食穀者。穀亦不速消化。而壅氣乃胃氣逆噦也。用藥之權衡。不可不識矣。

傷寒四五日。身熱惡風。身熱者。熱潑於發熱。故惡寒變惡風。前證手足溫。而不身熱。故曰。惡風寒。頸項強。脇下滿。手足溫而渴者。張思聰曰。陸氏曰。手足溫者。手足熱也。乃病人自覺其熱。非按而得之也。不然何以本論既云身熱。而復云手足溫。有謂身發熱。而手足溫和者。非也。凡靈素中。言溫者。皆謂熱也。非謂不熱也。小柴胡湯主之。

此就傷寒五六日而論四五日雖有外證裏證急者也今身熱惡風頸項强脇下滿手足溫而渴者大似上章所論而彼所重在脈遲浮弱面目及身黃小便難宜利小便去黃也故與柴胡湯後必下重此則身熱惡風頸項强邪氣尚在外然脇下滿手足溫而渴者邪熱淺鬱於脇下而不發越於皮表也其所重在于此故亦主小柴胡湯以解胸脇鬱邪則熱氣發而汗出外證亦從除矣上章曰六七日者日數過五六日而脈遲浮弱惡風寒手足溫此往來寒熱胸脇苦滿則邪氣尚淺此章曰四

五日者。不及六七日。而身熱惡風。頸項強。脇下滿。手足溫而渴者。邪熱既深矣。是因病進稍有遲速。與其人胃氣有強弱然也。故纔見一步之緩急。而並論令相照以勿誤治也。又按此證有身熱惡風。而不加桂枝。有渴而不去半夏。又不加括樓根。是可以知不須加減宜用本方。

傷寒。陽脉濇陰脉弦。法當腹中急痛。先與小建中湯。不差者。小柴胡湯主之。法。脉法。先。起後之詞。暗含下將發柴胡湯證之意。故於建中曰先與。於柴胡曰主之。示以不可他藥。不差。言腹中急痛不差也。

小建中湯方　傷寒論輯義云。小建中。視之大建中。藥力和緩。故曰小爾。醫方集解云。此湯以飴糖爲君。故不名桂枝芍藥。而名建中。今人用小建中者。絶不用飴糖。失仲景遺意矣。

桂枝三兩去皮　甘草二兩炙　大棗十二枚擘　芍藥六兩　生薑三兩切

膠飴一升

右六味。以水七升。煑取三升。去滓。內飴。更上微火消解。去滓後內飴。消解爲度。玉函。飴上有膠字。是溫服一升。日三服。嘔家不可用建中湯。以甜故也。此言平素患嘔之人。雖有建中湯之證。不可用。以甜味泥心下而吐故也。是雖非無其理。然强拘之。則反失其治之機要矣。又有得甘味嘔止者。宜隨證施用矣。

按此係傷寒二三日。傷寒四五日章而辨治方也。言傷寒陽脈濇。陰脈弦。蓋濇爲血少。弦主拘急。陽脈濇者。血少而陽氣難外行也。陰脈弦者。陰氣內結而拘急也。是其人本血氣虛弱。因得病二三日。寒邪直及裏而結聚。腹氣不和也。故法當腹中急痛也。乃先與小建中湯。以專解散于表而治急痛。然而不差者。是既四五日。邪氣進鬱於胸脇。熱加而致苦滿。腹氣尚不和也。乃雖急痛。非小建中湯之所宜。當主小柴胡湯以治之也。小柴胡證曰。或腹痛。金匱要略曰。諸黃腹痛而嘔者。宜柴胡湯。服柴胡湯。胸脇邪熱解散。則腹氣和。急痛隨治矣。

傷寒中風。前章所謂傷寒五六日中風。此乃略其日數。直爲一病名。以明傷寒之緩證矣。有柴胡證。玉函作小柴胡。按凡論中單曰柴胡。柴胡證。柴胡湯者。皆斥小柴胡湯言也。或曰通大小柴胡者。非也。但見一證便是。不必悉具。恐泥柴胡湯證悉具。故言及此矣。

此申明傷寒中風。有柴胡湯證者。是邪氣犯於胸脇。而半在裏半在外。故其見證最多。且雖非若結胸之急劇。病在於胸脇者。不速治之。則其變難測。因但見一證便是。而與柴胡湯。不必待其證悉具也。蓋一證者。謂胸脇苦滿也。按劉棟傷寒劉氏傳云。凡柴胡湯正證中。往來寒熱一證也。胸脇苦滿一證也。嘿嘿不欲飲食一證也。心煩喜嘔一證也。病人於此四證中。但見一證者。當服柴胡湯也。不必須其他悉具矣。正珍曰。劉棟此解於柴胡正證中定焉。可謂的確矣。徵之論中。用柴胡諸證。有但認胸滿脇痛而施者。有但認胸脇滿不去而施者。有但認脇下鞕滿。不大便而嘔而施者。有但認嘔而發熱而施者。有但認寒熱如瘧而施者。可以見其說之正矣。是未允當。何則有往來寒熱如瘧狀。用之者。而又施身熱惡風。頸項强。脇下滿。手足溫而渴者。及嘔而發熱者。且奔豚湯證亦有往來寒熱。桂枝二麻黃一湯證。亦曰形似瘧。則往來寒熱如瘧。是非主證。然則手足溫而渴及嘔者。似爲主證。而又微惡寒。手足冷。心下滿。或胸中煩而不嘔。

或不渴身有微熱者並與之則亦不爲主證嘿嘿不欲飲食者他亦有之則固難爲主證也皆可得以知焉又柴胡證曰胸滿脇痛曰潮熱大便溏小便自可胸脇滿不去曰脇下鞕滿不大便而嘔曰脇下鞕滿乾嘔不能食曰脇下滿曰脇下及心痛曰心下滿此悉無不言胸脇而又無於他藥言胸脇苦滿者矣由是觀之則夫往來寒熱嘿嘿不欲飲食心煩喜嘔等皆發於胸脇苦滿而柴胡湯之所兼治也況其餘證乎但胸滿脇痛脇下鞕滿心下滿脇下及心痛是胸脇苦滿之稍異者也故於

論柴胡正證章特曰胸脇苦滿以爲繩墨焉乃今此章曰但見一證便是蓋以關治術之樞要也因知一證者即胸脇苦滿而劉棟正珍説未允當矣又知凡醫病之大要惟在取邪毒所在之主證而若其兼證不拘見否也然而詳擧其兼證者欲令後學不眩惑兼證直隨其主證也又擧其病名曰太陽病曰陽明病曰少陽病曰傷寒曰傷寒中風是示雖病名異其主證同則不拘其名也此非止柴胡湯諸藥亦皆然矣是所以一方治數病也

凡柴胡湯病證而下之若柴胡證不罷者汎例于柴胡湯故曰

凡此誤下因當邪氣陷而柴胡證罷而不罷乃復與
其不罷者不爲逆也故曰而曰若而不曰反也復與
柴胡湯必蒸蒸而振却復發熱汗出而解錢潢曰蒸蒸者熱氣
從內達外如蒸炊之狀也邪在半裏不易達表必得
氣蒸膚潤振戰鼓慄而後發熱汗出而解也濟按蒸
蒸而振鬱熱欲暴發之勢令然也此已往
來寒熱若身熱惡風故於發熱曰却復

此承上柴胡湯數章而示傷寒中風熱氣尚能發於表之義也言凡柴胡湯病證而下之若柴胡證不罷者復與柴胡湯胸脇之邪氣退則鬱熱暴動必蒸蒸而振却復發熱汗出而解也

傷寒二三日心中悸而煩者小建中湯主之

此承傷寒陽脈濇陰脈弦章而更論其異證也傷

寒二三日。心中悸而煩者。是其人本血氣虛弱。因寒邪直及於裏。正不堪邪也。今煩悸者。類柴胡兼證。然此二三日。邪氣尚專在於表。而未成胸脇苦滿矣。仍爲小建中湯之所主治也。緣知夫先與小建中湯。不差者。小柴胡湯主之。是係日數辨證治焉。又按金匱要略以此湯治虛勞裏急悸衄腹中痛夢失精四肢酸疼手足煩熱咽乾口燥。宜倂考。

太陽病。過經十餘日。反二三下之。後四五日柴胡證仍在者。先與小柴胡。過經者。邪氣過經入於裏之謂也。經者。與所謂發汗則動經。太陽隨經。瘀熱在裏。經脈動惕。久而爲痿之經同。皆謂外經脈也。非獨指太陽經也。太陽病者。邪氣專於表

也因已過經亦進於內自緩故曰十餘日及後四五日此不下之前既具柴胡證故曰仍在小柴胡下玉函有湯字是

嘔不止心下急。一云嘔止小安齊按玉函作嘔止小安未與小柴胡湯之前既有嘔故曰嘔不止即前喜嘔甚而不止也心下急邪氣在於心下滿急也金匱要略云按之心下滿痛者此為實也當下之宜大柴胡湯即是

鬱鬱微煩者為未解也。鬱鬱者不了了也即嘿嘿之甚也微煩微微熱煩也

與大柴胡湯下之則愈。方己經誤下今嫌下之故曰下之則愈大柴胡湯對小柴胡湯以其除邪熱之効大為名也

柴胡半斤　黃芩三兩　芍藥三兩　半夏半升洗　生薑五兩切

枳實四枚炙　大棗十二枚擘

右七味。以水一斗二升。煮取六升。去滓。再煎溫服一升。日三服。一方加大黃二兩。若不加恐不為大柴胡

湯。再煎下玉函有取三升三字玉函金匱本方有大黃二兩七味作八味玉函云一方無大黃不加不得名大柴胡湯也並是原本無脫之也

此承太陽病十日以去脈浮細而嗜臥者外已解也。設胸滿脇痛者與小柴胡湯而論今已過經十餘日。致柴胡證此未可下而反二三下之後四五日。柴胡證仍在者雖因下邪氣稍犯胃先與小柴胡湯治之。乃諸證減而嘔不止心下急鬱鬱微煩者。是既犯胃之邪熱實爲未解也與大柴胡湯下之則愈矣。

傷寒十三日不解。單日不解者係表裏言也胸脇滿而嘔。日晡所

發潮熱。已而微利。明理論云。潮熱若潮水之潮。其來者。謂之潮熱。若日三五發者。卽是發熱。非潮熱也。齊按。日晡者。申酉時間也。日晡所發潮熱者。日晡人身陽氣行於內。而外閉。故內熱盛。而盈滿於周身也。程應旄曰。胸脇滿而嘔。日晡所發潮熱。此傷寒十三日不解之本證也。微利者。已而之證也。此本柴胡證。下之以不得利。今反利者。知醫以丸藥下之。此非其治也。利卽微利。丸藥者。其効緩。無蕩滌之功。而濇。故曰下之以不得利。今反利也。潮熱者實也。恐人疑微利以爲虛。故復指潮熱以證之。斷曰。潮熱者實也。先宜服小柴胡湯以解外。對胃內曰外。卽上文不解之外證。所謂半在裏半在外之外。後以柴胡加芒消湯主之。方字脫。

柴胡二兩十六銖　黃芩一兩　人參一兩　甘草一兩炙　生薑一兩切

半夏二十銖本云五枚洗。玉函作五枚。　大棗四枚擘　芒消二兩。外臺作二合。

右八味。以水四升。煮取二升。去滓。内芒消。更煮微沸。分溫再服。不解更作。臣億等謹按。金匱玉函方中。無芒消。別一方云。以水七升。下芒消二合。大黃四兩。桑螵蛸五枚。煮取一升半。服五合。微下即愈。本云。柴胡再服。以解其外。餘二升加芒消大黃桑螵蛸也。正珍曰。此方本當於小柴胡湯方内加芒消六兩也。而今宋板所載分量。小柴胡三分之一。減其劑者。疑非仲景氏意。宜以全書所載爲正矣。東洞子曰。小柴胡證。而有堅塊者。主之。

此自傷寒五六日中風章來。且承上章之意。而更辨傷寒十三日不解。胸脇滿而嘔。日晡所發潮熱者。醫以丸藥下之後之治法也。言潮熱者似可下。然胸脇滿而嘔者。邪氣半在裏半在外。此本柴胡證。所謂傷寒嘔多。雖有陽明證。不可攻之類也。而先下之以不得利今反微利者知醫以丸藥下之此非其治也今雖下利潮熱者邪熱實於裏也但以丸藥下之故其熱不除徒動腸胃胃氣爲之不和而微利裏液損耗而更致燥結矣此與陽明病發潮熱大便溏小便自可胸脇滿不去者相類仍先宜服小柴胡湯以解胸脇及外不解之邪後以柴胡加芒消湯主之兼治裏實燥結矣此乃似上章大柴胡湯證而彼邪熱入胃嘔不止心下急鬱鬱微煩此雖潮熱非胃家實是所以治方異也

傷寒十三日過經讝語者以有熱也當以湯下之有熱

謂內有熱也。玉函作內有熱也。湯者。諸下邪熱之湯也。對丸藥言也。若小便利者。大便當鞕。而反下利。脈調和者。知醫以丸藥下之。非其治也。脈調和。對脈微厥。而言。無異變也。若自下利者。脈當微厥。今反和者。此為內實也。脈微厥。不調和也。不可下篇云。厥者。脈初來大。漸漸小。更來漸大。即是也。內實者。謂邪熱實於胃也。與上文有熱應。調胃承氣湯主之。

此章申明傷寒十三日。邪氣過經讝語者。醫以丸藥下之後之治方也。言過經讝語者。以內有熱胃氣不和。熱氣熏心胸。神昏迷而自言也。法當以湯藥蕩滌下之也。若小便利者。水氣能分利滲膀胱。則大便當鞕。而反下利。脈調和者。又非自下利之脈乃知醫以丸藥下之非其治也若自下利者則是本由胃氣弱水穀化輸不健瘀濁爲邪壅觸動故脈當微厥今反和者非胃氣虛弱但以丸藥下之乃內熱不除徒動腸胃瘀濁下瀉胃液益乾而邪熱結矣此爲內實也因調胃承氣湯主之以直下內實潤和胃氣則讝語止矣論曰胃氣不和讝語者少與調胃承氣湯此之謂也

太陽病不解熱結膀胱按曰熱結膀胱者非必結膀胱一府此下焦之謂也然但曰下焦則其所斥廣矣曰膀胱則其所斥陝矣今血自下而愈者是熱之所結者陝隘故也是故於下焦中特係膀胱言也是猶曰心中悸而煩心中疼熱其人如狂成無己曰如狂者爲未至於狂

但不血自下。下者愈。血自下者，不因下血，其人本血寧爾。氣易動，乃今爲結熱沸逆，隨脉絡流滲腸間而下也。或有尿血者，然非大便血，不至愈矣。此二句斜插。此亦有血下愈者也。血下愈者，雖血下不愈，反危矣。故下文更曰其外不解也。其外邪熱内陥，專結膀胱故也。若邪熱在於外者，則不解者。尚未可攻。當先解其外。外者，與下先與小柴胡湯，解外之外同。其外不解，與上太陽病不解應。尚未可攻，對下乃可攻之。外解已。但少腹急結者。乃可攻之。上文云熱結膀胱，先明病之所在，此曰少腹急結者，見熱結血不下之證候，而實宜桃核承氣湯。急結，急滿結實也。宜桃核承氣湯方。後云解外宜桂枝湯，脉經作屬桂枝湯證。

桃仁五十箇去皮尖　大黄四兩　桂枝二兩去皮　甘草二兩炙　芒消二兩

右五味，以水七升，煮取二升半，去滓，内芒消，更上火，微沸下火。先食溫服五合。桃核，即桃仁也。玉函核作仁。明李時珍本草綱目序例云。病在胸膈已上者。先食後服藥。病在心腹已下者。先服藥而後食。金鑑云。空腹則藥力下行捷也。濟按恐食後無間。服此苦鹹辛甘之湯。則與食穀未化者。相阻逆而必吐。是故先食服之也。他藥亦然者多矣。然本論中。言先食者。只此湯。及烏梅丸已。其他攻下部病者。不言之。且不見治上部病。曰食後服者。則若先食後服藥。最難從矣。總服藥前後。暫時辟食。佳。今於此湯。及烏梅丸。有先食之言者。蓋仲景氏之方。悉非仲景氏自製撰。用古人之成方。此湯及烏梅丸。亦古方。故不改其舊言。而書記之爾。日三服當微利。傷寒類方云。微利則僅通大便。不必定下血也

此承前章太陽病過經十餘日。反二三下之。而舉太陽病。經日不解。熱專結膀胱者。辨明血自下愈者。及其外不解者。外解已。但少腹急結者之治法也。言邪熱陷於下焦。而結膀胱。血爲結熱沸逆。血

熱瘀氣乘心家乃心神不寧令人如狂也蓋心者以藏血舍神故然矣靈蘭祕典論云心者君主之官也神明出焉是也然而血自下下者熱亦隨血除而愈是猶婦人傷寒經水適來讝語如見鬼狀者此爲熱入血室無犯胃氣及上二焦必自愈雖熱結膀胱其人如狂其外不解者尚未可攻之當先解其外也不爾則内虛外邪陷而必爲壞病外解已但少腹急結者熱結血也乃可攻之宜桃核承氣湯服湯大便微利則邪熱除而血自復矣此與婦人中風熱入血室其血結者與小柴胡湯以

清解邪熱意同。而血已瘀者。血下而愈。若瘀血不下者。宜抵當湯。按先哲疑此湯中有桂枝。而用于外已解者。故其說紛紛而不一定矣。因今徵之于諸方。審索其正義。凡藥性有一味之能。又有成方之功。故夫若桂枝湯。則以芍藥生薑甘草大棗。伍于桂枝。桂枝爲之主矣。乃治邪氣在表頭痛發熱汗出惡風者。此爲發散外邪也。若此湯。則以桂枝伍于桃仁大黄芒消甘草。桃仁爲之主矣。乃治熱結膀胱。其人如狂。而血不下。外解已。但少腹急結者。此爲解散結血。低衝氣也。是猶如土瓜根散治帶下經水不利少腹滿痛桂枝茯苓丸治癥痼害妊娠下血不止溫經湯治婦人年五十所病下利數十日不止暮卽發熱少腹裏急腹滿手掌煩熱脣口乾燥屬帶下又桂枝加龍骨牡蠣湯治失精夢交腎氣丸治男子消渴小便反多及婦人轉胞不得溺茯苓澤瀉湯治胃反吐而渴欲飲水木防己湯治膈間支飲其人喘滿心下痞堅面色黧黑桂枝枳實生薑湯治心中痞諸逆心懸痛枳實薤白桂枝湯治胸痺心中痞留氣結在胸胸滿脇下逆搶心亦以桂枝伍諸藥治水血瘀毒在於裏而

衝逆者。此皆成方之功。而非唯爲外不解用之也。甚明矣。何容疑之有乎。

傷寒八九日。下之。此有可下證而下之。故不曰反。己下其證不全除。故不下後字。胸滿煩驚。小便不利。煩。心悶。驚。怯驚也。煩驚者。必見胸腹悸動。下之裏虛。毒氣衝逆故也。讝語。一身盡重。不可轉側者。側。偏臥也。此言因一身盡重。唯偃臥。而不可轉動反側也。柴胡加龍骨牡蠣湯主之方此小柴胡湯。加龍骨牡蠣鉛丹桂枝茯苓大黄也。而名柴胡加龍骨牡蠣湯者。蓋以此方加味多。且此證中主煩驚。故唯取龍骨牡蠣治煩驚之任重以爲名。餘省略之也。

柴胡四兩　龍骨　黄芩　生薑切　鉛丹　人參

桂枝去皮　茯苓各一兩半　半夏二合半洗　大黄二兩　大棗六枚擘

牡蠣一兩半熬

右十二味。以水八升。煑取四升。內大黃切如碁子。更煑一兩沸。去滓。溫服一升。按下後精虛、毒氣逆胸滿者、大黃與諸藥、俱煑熟、其氣鈍、則泥於心下、其効不捷、故後內大黃、煑一兩沸、取生而流利也、碁子、博碁子也、枳實梔子湯方後云、若有宿食者、內大黃如博碁子五六枚、今此方中已云太黃二兩、而更曰如碁子者、有疑焉、因意是切作如碁子之謂歟、作如碁子者、亦爲使藥汁不重濁也、玉函無切如碁子四字、本云柴胡湯。今加龍骨等。此本小柴胡湯、而方中無甘草、然方名不曰去甘草、方後云、本云柴胡湯、今加龍骨等、玉函云、本方柴胡湯內加龍骨牡蠣黃丹桂茯苓大黃也、今分作半劑、而亦不言去甘草、覩是則無甘草者、蓋歷年之久、必脫之也、作十二味者、後人從無甘草改之也、全書更無黃芩、是亦脫落、

此承前章傷寒十三日。過經讝語。而論傷寒八九

曰邪氣未盡過經而既有可下證因下之而其證不全除之逆變出治方也今胸滿煩驚小便不利讝語一身盡重不可轉側者因下精虛邪壅於內外氣液不行毒氣衝逆熱伏於胸脇心神不安也故以柴胡加龍骨牡蠣湯主之解散胸脇及內外邪壅降衝逆通氣液也

傷寒腹滿讝語寸口脈浮而緊此肝乘脾也名曰縱刺期門肝者足厥陰經象木而主筋脾者足太陰經象土而主肉木剋土今肝乘脾者是行于己所勝也故名曰縱張錫駒曰謂縱勢而往無所顧慮也

此依前章明傷寒腹滿讝語刺法也腹滿讝語者

邪熱迫脾而胃氣不和也寸口脈浮而緊者邪氣滲犯於厥陰經筋肝氣鬱而熱盛也脾病見肝脈此肝乘脾也乃雖腹滿譫語脈浮緊不可行發汗吐下惟刺期門以瀉肝經邪鬱則熱氣消散而解

傷寒發熱嗇嗇惡寒大渴欲飲水其腹必滿自汗出小便利其病欲解腹滿者因飲水也與前證腹滿自異王宇泰曰傷寒發熱惡寒表病也至於自汗出則表已解矣大渴腹滿裏病也至于小便利則裏自和矣故曰其病欲解此肝乘肺也名曰橫刺期門肺者手太陰經象金而主皮毛能通水道金剋木今肝乘肺者是行于所勝己也故名曰橫張錫駒曰謂橫肆妄行無復忌憚也

此章乃申明傷寒發熱嗇嗇惡寒者邪氣犯皮毛

肺氣壅塞也。大渴欲飲水。其腹必滿者。熱淡在於厥陰經。肝鬱盛飲水多。而填滿也。然本肺金勝肝木。木得水而生達。故肝鬱稍散。而熱氣表發。肺壅亦稍開。而水道通暢。則自汗出。小便利。其病欲解。此肝乘肺也。刺期門。以瀉肝經邪鬱。則肝肺氣和平而愈。又按右二章。是五行生剋縱横之理說。而無益於治術者也。疑非仲景氏之舊。

太陽病二日反躁。凡熨其背。而大汗出。大熱入胃。一作二日内燒瓦熨背。大汗出。火氣入胃。濟按玉函作二日而反燒瓦熨其背。而大汗出。火熱入胃是也。原本作躁凡。作大熱。傳譌也。胃中水竭。躁煩必發讝語。十餘日振慄。

自下利者。此爲欲解也。按自下利。自汗出之謂。何則振慄自下利者。重證而非欲解者。玉函。脈經。作十餘日。振而反汗出者。是也。前章云。先振慄汗出解。正與此同。故其汗從腰以下不得汗。按故字恐衍。玉函無。是也。其汗。乃指振慄汗出言也。欲小便不得。反嘔。欲失溲。足下惡風。大便鞕。小便當數。而反不數。及不多。大便已。頭卓然而痛。汪琥曰。欲失溲者。此是形容不得小便之狀。濟按。卓。特立也。卓然。頭不可傾側之貌。其人足心必熱。穀氣下流故也。

此章言太陽病二日。反燒瓦熨其背而發汗。大汗出。氣液亡。火熱入胃。胃中水竭。故躁煩必發讝語。而此太陽病得之二日。則病未深。乃從汗大邪解。火熱專爲害。故至十餘日。津液復。則火熱得津欲去先表氣潛於內振慄而熱發自汗出者此爲欲解也若其汗從腰以下不得汗欲小便不得反嘔欲失溲足下惡風大便鞕小便當數而反不數及不多是津液未足火熱升蒸氣液上泄而不施下也大便已頭卓然而痛結鞕之屎得潤而通火氣動衝逆也初足下惡風者今大便通則其人足心必熱此津液既足胃中和穀氣下流故也於是逆氣降火熱消散而得解矣方有執曰病雖不言解而解之意已隱然見於不言之表矣讀者當自悟可也

太陽病中風以火劫發汗按病字當衍。玉函無是也。劫強取也。以火劫者火逆甚於前證。邪風被火熱血氣流溢失其常度溢滿溢也。血氣者榮衛也。兩陽相熏灼其身發黃兩陽者謂太陽之陽火熱之陽也。今不曰熱而曰陽者兩取其發揚於外之意也。陽盛則欲衄陰虛小便難陰陽俱虛竭身體則枯燥但頭汗出劑頸而還錢潢曰上文曰陽盛似不當言陰陽虛竭。然前所謂陽盛者蓋指陽邪而言。後所謂陽虛者以正氣言也。經所謂壯火食氣以火邪過盛陽亦爲之銷鑠矣。濟按劑分也。還返也。劑頸而還言但頭汗出劑限頸而還退也。成本陰虛下有則字是。腹滿微喘口乾咽爛或不大便久則譫語甚者至噦手足躁擾捻衣摸牀小便利者其人可治摸以手摹也。牀臥榻也。

此與前章發而互明火逆證候也。言太陽中風以火劫發汗邪風被火熱㴱逼其血故血氣流溢而失其行陰行陽之常度兩陽相搏不能泄於外而熏灼津液故其身致發黃陽熱盛沸鬱於上則經血妄行逆而欲衄陰虚津液不足於下則膀胱氣不化輸致小便難通陰陽俱虚竭血氣不能榮養形體唯虚陽并火熱逆上故身體則枯燥但頭汗出劑頸而還也火熱進旣入於裏而熏焦裏液毒氣上攻故腹滿微喘口乾咽爛或迫胃胃中乾不大便久則遂內實而發讝語甚者胃虚氣逆致噦內外俱虚幾微之正氣不堪邪氣精神失所依乃

至手足躁擾捻衣摸牀是危惡之候也然而小便利者裏液未全盡而下元氣尚存矣故其人可治也此本太陽中風微邪今因火逆甚致此重證矣火攻不可不嚴禁也又按右二章爲後章火逆論之其義雖不大乖然亦似非仲景氏之辭氣惟忠曰古有假火氣以攻邪之術如溫鍼燒鍼熨法熏法等是也是皆仲景氏所不爲而不傳于今矣當仲景氏之時或因此術而誤其治也於是往往論其誤而致變者設之治法焉今如此二條則蓋皆後人之所論豈足以爲據乎假火氣以攻邪之術

果不傳于今乎雖甚誤而致變之遠于古而有治法之遡于今今我邦之俗間有礪溫石者其制如手掌大石或瓦作之投火而焚之頃刻取出少濺鹽水納匣綿裹以溫疾上又有礪石鍼者其制如桴而短石鋒木柄乃埋鋒熱灰須臾取出帛裹按如鍼法是皆類乎溫鍼及熨法者也又市井之側有名竈浴者其制如竈狀如地室狀布石於地黏土塗覆其上容人三五人乃燃柴薪其內令炎氣充急取去灰石上布濡鹽薦臥人其上閉戶密塞不得氣洩於是炎氣徹身殆不能息遍身忽發汗

如水流漓。食頃許。始出乎外。身稍冷後復入。又復發汗。如故。如此者不惟一再。然後別設湯以浴焉。市井之賤人。患諸疼痛。或感邪氣者。多投此而取快也。又有空鬫浴。有鹽鬫浴。雖制少異乎。率亦同類矣。惟是假湯火氣而攻邪之一也。則其誤而致變亦一也。仲景氏往往論彼誤而致變者。設之治法也。物異而事同。則取之此誤而致變者。庶幾不大背馳矣。

傷寒脈浮。醫以火迫劫之。亡陽必驚狂。臥起不安者。

錢潢曰。火迫者。或熏或熨或燒鍼。皆是也。方有執曰。亡陽者。陽以氣言。火能助氣。甚則反耗氣也。驚狂臥起不安者。神者。陽之靈。陽亡則神散亂。所以動皆不安。陽主動也。桂枝去芍藥加蜀漆牡蠣龍骨救逆湯主之方。汪琥曰。湯名救逆者。以驚狂不安皆逆證也。

桂枝三兩去皮　甘草二兩炙　生薑三兩切　大棗十二枚擘

牡蠣五兩熬　蜀漆三兩洗去腥　龍骨四兩

右七味。以水一斗二升。先煮蜀漆。減二升。內諸藥。煮取三升。去滓。溫服一升。蜀漆味苦有腥氣。故洗去腥。先煮之。本云桂枝湯。今去芍藥。加蜀漆牡蠣龍骨。

此承傷寒八九日章而論之也。而彼邪氣及裏。乃下之。胸滿煩驚。小便不利。譫語。一身盡重。不可顛側。因柴胡加龍骨牡蠣湯主之。今此所論脈浮邪熱在於表者也，而以火迫劫之發汗，乃致亡陽，甚而氣液不行，邪氣幷火熱及裏，而動水飲，上逼心胸，而亂血氣，心神搖蕩，驚狂，臥起不安之逆變，因桂枝去芍藥加蜀漆牡蠣龍骨救逆湯主之，以散表邪，降衝逆，去水飲也。所以去芍藥者，以邪火壹上逆胸滿，而不結聚於腹裏故也。宜併見桂枝去芍藥湯證。

形作傷寒，其脈不弦緊而弱。錢潢曰：形作傷寒者，謂其形象有似乎傷寒，亦有頭項强痛、發熱、體痛、惡寒、無汗之證，而實非傷寒也。因其脈不似傷寒之弦緊而反弱，弱者，細軟無力之謂也。弱者必渴，被火必讝語。弱者發熱脈浮，解之當汗出愈。成本，火下，有者字，是。

此章言形作傷寒。其脈當弦緊。今不弦緊而弱。弱者此邪熱伏於肌肉及腹裏。而迫胃家。乃精氣不得外達。脈氣退而反見弱也。故弱者必渴。因被火攻者。熱加胃氣不和。必發讝語也。若不被火而弱者。則遂發熱。脈浮發熱。脈變浮者。是伏熱發動。精氣外達而脈氣進也。故湯藥以解之。當汗出愈也。

太陽病。以火熏之不得汗。其人必躁。到經不解必清血。名爲火邪。到經，謂火熱到經脈之分也。清血，脈經不可火篇，作必有清血。又有當下清血如豚肝乃愈之言。千金方論婦人十二藏云，九曰如清血，血似水。據之則清者，濁之反。而清血者，指血似水言也。然又單曰清血者。有所容疑焉。因意此清者。注家謂清圊通。圊也。清血。便血也。者。似是矣。蓋此章。非仲景氏之舊。故其字義有所異。亦不可知矣。後章所謂清膿血。亦義同。

此章言太陽病。以火熏之不得汗。則邪火俱不泄於外。故火熱內攻能爲劇。正氣委頓而不勝邪。其人必躁。到經尚不解散。則遂動血。血從脈絡流滲腸間。必清血。故名爲火邪。喻昌傷寒尚論篇云。名爲火邪。示人以治火邪。而不治其血也。

脈浮熱甚而反灸之。此爲實。實以虛治。因火而動。必咽燥吐血。灸者。解散虛寒。復陽氣之法也。脈經。吐作唾。是

此章言脈浮熱甚無灸之理。而反灸之。脈浮熱甚

此爲實。實者邪實也。然以散虛寒之灸法治之。卽逆也。因火而動邪熱。火邪上攻而損津液。必咽燥遂傷血絡。致唾血也。

微數之脈。愼不可灸。病久而血液枯涸者。多見微數之脈。微爲陰虛。數爲內熱。因火爲邪。則爲煩逆。追虛逐實。若誤灸之。因火爲邪。則陰虛益虛竭。內熱益加。爲煩悶上逆。是火邪追隨于陰虛之處。逐從熱實之處。故也。血散脈中。言脈中榮血離散。而不復聚也。火氣雖微。內攻有力。焦骨傷筋。血難復也。此灸火氣微。見骨立之形已成。調護榮血。亦無如何也。故曰方有執曰。近來人之以火灸陰虛發熱者。猶比比焉。竊見其無有不焦骨傷筋而斃者。吁是豈正命哉。可哀也已。

程應旄曰。血少陰虛之人。脈見微數。尤不可灸。虛邪因火內入上攻則爲煩爲逆陰本虛也而更加火則爲追虛熱本實也而更加火則爲逐實夫行於脈中者營血也血少被追脈中無復血聚矣艾火雖微孤行無禦內攻有力矣無血可逼焦燎乃在筋骨蓋氣主呴之血主濡之筋骨失其所濡而火所到處其骨必焦其筋必損蓋內傷眞陰者未有不流散於經脈者也雖復滋營養血終難復舊此則枯槁之形立見縱善調護亦終身爲殘廢之人而已可不慎歟

脈浮宜以汗解用火灸之邪無從出因火而盛病從

腰以下。必重而痹。名火逆也。欲自解者。必當先煩。煩乃有汗而解。何以知之。脈浮故知汗出解。欲自解。是與太陽病二日章。十餘日振慄自汗出者。此爲欲解意類。脈浮故知汗出解。係上文脈浮言也。玉函。有汗下。有隨汗二字。成本。汗出解下。有也字。是。又以下欲自解以下。爲別章。然爲別章。則曰脈浮故知汗出解者。上無其所應。且不預火逆之義。則當不載于此段。原本爲一章者。文意通。義自明矣。意此成無己下注之時兩之也。

此對上章脈浮熱甚及微數之脈而更論脈浮灸之熱發汗出解者也。言脈浮宜以汗解。用火灸之邪無出路。因火而熱盛。壹上逆而氣血不得行於下。致從腰以下。必重而痹。故名火逆也。然此脈浮邪氣在表而熱不甚。固非微數之脈。因火逆亦不劇。是故鬱熱表發欲自解者。則其勢必當先煩。煩乃有汗。邪火隨汗消散而解。何以知之。以今脈浮氣機仍欲外達。故知汗出解也。又按右五章論火逆之諸變。其病之淺深緩急。火逆之輕重劇易之分。明而義甚詳也。然主脈理以說之。此亦王叔和之補敘。可以知矣。

燒鍼令其汗。鍼處被寒。核起而赤者。字彙云、核、果中實也。錢潢曰、燒鍼者、燒熱其鍼而取汗也。玉機眞藏論云、風寒客於人、使人毫毛畢直、皮膚閉而爲熱、當是之時、可汗而發也、或痹不仁腫痛、可湯熨及火灸刺而去之、觀此則風寒本當以汗解、而漫以燒鍼取汗、雖或不至於因火爲邪、而鍼處孔穴不閉、已被寒邪所侵、故腫起如核、皮膚赤色、必發奔豚。氣從少腹上衝心者。灸其核上各一壯。柯琴曰。寒氣外束。火邪不散。發爲赤核。是將作奔豚之兆也。從少腹上衝心。是奔豚已發之象也。正珍曰。奔豚。病名也。氣字屬下。蓋奔豚虛悸之甚者耳。其灸核上者。以溫散寒邪也。正字通云。醫用艾灸一灼謂之一壯。陸佃曰。以壯人爲法。老幼羸弱。量力減之。傷寒類方云。不止一鍼。故云各一壯。與桂枝加桂湯。更加桂二兩也。方玉函。無更加桂二兩也六字。是

桂枝五兩去皮　芍藥三兩　生薑三兩切　甘草二兩炙　大棗十二枚擘

右五味。以水七升。煮取三升。去滓。溫服一升。本云。桂枝湯。今加桂滿五兩。所以加桂者。以能泄奔豚氣也。玉函。無滿以下十五字。是。柯琴曰。只在一味中加分兩。不於本方外求他味。不即不離之妙如此。茯苓桂枝甘草大棗湯證。已在裏而奔豚未發。此證尚在表而發。故治有不同。

此承傷寒脈浮醫以火迫劫而特舉燒鍼汗後鍼處更被寒乃致逆變者故單曰燒鍼令其汗也燒鍼取汗亡陽氣逆宜避風寒若不謹愼鍼處被寒火熱爲寒襲鬱脈中氣血不流行而結腫核起赤者必發奔豚氣從少腹上衝心者邪氣乘虛及下焦幷逆氣暴上攻也比之以火迫劫者則火逆輕因鍼處被寒至此劇證故灸其核上以散寒結與桂枝加桂湯以解外邪專秪衝氣矣若專因火逆則不可灸也論曰太陽病下之後其氣上衝者可與桂枝湯今此上衝甚所以加桂也

火逆下之。因燒鍼煩躁者。吳儀洛曰。病者既火逆矣。治者從而下之。于是眞陰熏傷。因燒鍼餘毒。使人煩躁不安。魏荔彤曰。煩躁卽救逆湯。驚狂臥起不安之漸也。濟按火逆而更下之也。而煩躁者。不緣下之。緣燒鍼火攻。故曰因燒鍼煩躁者也。成無己曰。先火爲逆。復以下除之。裏氣因虛又加燒鍼裏虛。而爲火熱所煩。故生煩躁者。非也。若成說爲凡三誤。則因字所置不穩矣。桂枝甘草龍骨牡蠣湯主之方

桂枝一兩去皮　甘草二兩炙　牡蠣二兩熬　龍骨二兩

右四味。以水五升。煮取二升半。去滓。溫服八合。日三服。此方。宜倂考桂枝甘草湯證所謂。發汗過多。其人叉手自冒心。心下悸欲得按者。以施用矣。

此章曰火逆。曰燒鍼者。蓋火逆者。就今所病之逆證言之。燒鍼者。以初之火攻言之。而特擧燒鍼者。

乃接前章更明燒鍼逆變之治方也前章言燒鍼鍼處被寒者其治專在寒矣此章言火逆下之因燒鍼煩躁者其治專在燒鍼火逆矣此亦比以火迫劫者則火逆猶輕但火逆下之亡陽內外俱虛氣液不行火熱欲發而難發便致煩躁故以桂枝甘草龍骨牡蠣湯少劑治之也

太陽傷寒者加溫鍼必驚也按曰太陽傷寒者止此一章乃與本論建例異矣脈經無太陽二字是錢潢曰溫鍼即前燒鍼也

此章言傷寒邪氣在於表宜以湯發汗若誤加溫鍼則亡陽邪火幷迫心胸心神不寧必驚動也

太陽病當惡寒發熱今自汗出反不惡寒發熱關上脈細數者以醫吐之過也一二日吐之者腹中飢口不能食三四日吐之者不喜糜粥欲食冷食朝食暮吐。一二日以下以醫吐之過更辨其因吐之日數多少其逆證有劇易也朝食暮吐言其大法不必限朝暮也。以醫吐之所致也此爲小逆此據上文略過字以上諸證是邪氣進在於胸中乃當吐而吐之只以醫吐之過所致故曰此爲小逆也仲景全書張兼善曰此病雖逆當自愈吐中便有發散之義也但當節飲食靜養調攝則餘邪自去若更妄治之則變證起矣。

此就火逆數章便舉吐逆而爲後章自極吐下者與調胃承氣湯論之也言太陽病者寒熱盛於表當惡寒發熱今自汗出反不惡寒發熱關上脈細

數者是有當吐之證而吐之只以醫吐之過胃氣傷損餘熱伏於肌肉及胸中而蒸泄津液故也若一二日吐之者胃氣之傷損猶淺但逆氣聚於胸中故腹中飢口不能食也若三四日連吐之者胃氣之傷損甚不能消穀而胸中熱故不喜糜粥欲食冷食朝食不化踰胃氣鬱逆而暮吐以醫吐之所致也此爲小逆矣又按成氏以降皆以一二日三四日爲病之日數見脈經一二日上有若得病三字則其說似是然太陽病一二日固非吐之所宜而吐之逆證易三四日乃或有吐之宜而吐之

逆證劇且不曰誤而曰過過即超過之謂而非謬誤矣觀是則爲病之日數者機變不穩殊爲小逆者失其當因意脈經有若得病字此叔和之所私加而一二日三四日是爲吐之日數也明矣

太陽病吐之但太陽病當惡寒今反不惡寒不欲近衣此爲吐之內煩也方有執曰不惡寒不欲近衣雖不顯熱而熱在內也故曰內煩

此接前章而更明非吐之過但吐家善致內煩者也言太陽病宜吐而吐之但太陽病當惡寒今反不惡寒不欲近衣此爲吐之胃虛氣逆而不和餘邪入裏熱氣鬱而內煩也若誤認以爲內實不惡

寒之證。與調胃承氣湯。則禍不旋踵。宜審虛實矣。

病人脈數。數爲熱。當消穀引食。而反吐者。此以發汗令陽氣微。膈氣虛。脈乃數也。數爲客熱。不能消穀。以胃中虛冷。故吐也。膈氣虛。胃中虛冷者。當不有熱而熱。故曰客熱。

此章更明發汗令陽氣微。胃中虛冷者。亦善發吐也。言病人脈數。數爲熱。熱氣有餘。熱氣有餘者。當消穀引食。而今反吐者。此以發汗令陽氣微。膈氣虛。虛氣鬱而生熱。脈乃數也。故數爲客熱。客熱者。不能消穀。以胃中虛冷。故氣液不行。逆而吐也。又按以上四章。疑非仲景氏之舊論。

太陽病。過經十餘日。心下溫溫欲吐。而胸中痛。溫溫。內含熱而不去之狀。言心下熱氣溫蓄而不去。欲吐而不能吐。胸中尋爲痛也。程應旄曰。心中溫溫欲吐。而胸中痛。是言欲吐時之象。欲吐則氣逆。故痛。著一而字。則知痛從欲嘔時見。不爾亦不痛。大便反溏。腹微滿。鬱鬱微煩。先此時。自極吐下者。與調胃承氣湯。過經十餘日。邪熱在於裏者。大便當鞕而溏。故曰反。先此時。未有此心下溫溫欲吐以下證之先也。極者。猶盡也。無餘遺之謂也。若不爾者。不可與。但欲嘔胸中痛微溏者。此非柴胡湯證。以嘔故知極吐下也。不爾。謂不極吐下也。上文云心下溫溫欲吐。而此曰欲嘔者。溫溫欲吐者。必有嘔氣也。故略言之。以互明其義也。又見此曰微溏。則上之反溏。亦微溏也。此邪熱在於裏。既有柴胡證者也。故曰非柴胡湯證。不然則此屬突出矣。

此自前太陽病。過經十餘日。反二三下之後四五日柴胡證仍在者先與小柴胡湯嘔不止心下急鬱鬱微煩者爲未解也與大柴胡湯下之則愈求而論不因誤下自極吐下後邪熱實於胃者之治也蓋太陽病過經十餘日既見柴胡湯證也而今心下溫溫欲吐而胸中痛大便反溏腹微滿鬱鬱微煩先此時自極吐下者是其初無失用柴胡湯之度則當不有此證而不能投其機因邪熱迫胃胃氣不和水穀渣滓觸動自極吐下也極吐下而心下溫溫欲吐而胸中痛大便反溏腹微滿鬱鬱微煩者是邪熱乘吐下直入於胃而結實毒氣急

迫也因與調胃承氣湯若不極吐下而腹微滿鬱鬱微煩者是雖邪熱迫胃未至內實不可與調胃承氣湯此仍柴胡證然但欲嘔胸中痛微溏者此極吐下之餘證而非柴胡湯證故重據一嘔字而斷極吐下更明可與調胃承氣湯矣是以此章又照之于傷寒十三日過經譫語之章以詳辨柴胡調胃之疑途乃終柴胡湯之一段焉

太陽病六七日表證仍在脈微而沉反不結胸結胸者邪氣結於胸之謂也其人發狂者以熱在下焦少腹當鞕滿小便自利者惟忠曰小便自利對不利而言之謂通利依常也非所謂遺尿之謂也下血

乃愈。言至下血乃愈也。所以然者。以太陽隨經瘀熱在裏故也。經者。謂經脈也。而非獨指言太陽經。故曰太陽隨經。若太陽經則可曰隨太陽經也。瘀熱。謂熱氣瘀鬱而不發越也。所以然者以下。此明下致上證之所由也。抵當湯主之。方柯琴曰。抵當者。謂直抵其當攻之所也。

水蛭熬　蝱蟲去翅足熬各三十箇　桃仁二十箇去皮尖　大黃三兩酒洗

右四味。以水五升。煑取三升。去滓。溫服一升。不下更服。錢潢曰。桃核承氣條。不言脈。此言脈微而沉。彼言如狂。此言發狂。彼云小腹急結。此云少腹鞕滿。彼條之血尚有自下而愈者。其不下者。方以桃核承氣下之。此條之血必下之乃愈。證之輕重。迥然不同。故不用桃核承氣湯。而以攻堅破瘀之抵當湯主之。柯氏曰。蛭昆虫之巧於飲血者也。蝱飛虫之猛於吮血者也。茲取水陸之善取血者攻之。同氣相求耳。更佐桃仁之推陳致新。大黃之苦寒。以蕩滌邪熱。

此承太陽病不解熱結膀胱章而論邪熱陷於下焦而瘀鬱血畜積者也言太陽病六七日表證仍在者脉應浮而微而沉是邪氣正沉結於裏之診邪氣沉結者則當結胸而反不結胸其人發狂者邪熱直陷於下焦血氣不行血乃畜積血熱毒氣蒸騰而乘心心神憒亂也以熱在下焦少腹當鞕滿而或有小便不利水停鞕滿者今小便自利者非停水則鞕滿血熱結於少腹也無疑矣故抵當湯主之以下畜血乃愈血不下更服是以太陽邪氣隨經脉陷入瘀熱在裏故致此血證也夫桃核

承氣湯證所謂熱結膀胱其人如狂少腹急結者亦雖血爲熱結未至瘀畜因解其熱則血復得通暢不必下血也故曰當微利是故論之于柴胡調胃之閒此章所謂太陽病六七日表證仍在脈微而沉反不結胸者此爲下篇論結胸之根起而令照之于傷寒六七日結胸熱實脈沉而緊也故論於玆是所以雖同血證隔數章論之也或以爲錯簡非也此乃中篇之總結

太陽病身黃脈沉結錢潢曰身黃遍身俱黃也沉爲在裏而主下焦結則脈來動而中止氣血凝滯不相續之脈也少腹鞕小便不利者爲無血也血仟瘀血

也。成無己曰。身黃脈沉結。少腹鞕。小便不利者。胃熱發黃也。可與茵蔯湯。小便自利。其人如狂者。血證諦也。諦。審也。此身黃最有疑于瘀血。故曰血證諦也。方有執曰。言如此則爲血證審實。無復可疑也。抵當湯主之。

此章乃申辨身黃畜血之有無也。言太陽病身黃脈沉結。少腹鞕。小便不利者。是邪氣入裏而熱瘀下焦。熏蒸津液而氣不泄於外。因發身黃。乃少腹鞕。水邪結聚之所致也。故脈沉結。雖緣氣血凝滯。此爲無血也。雖身黃小便自利。其人如狂者。則少腹鞕。非水結。是瘀熱結血。血液爲熱被熏灼。遂至發黃也。乃少腹鞕。極係畜血。此血證諦也。今此少腹鞕者輕於鞕滿，如狂者易於發狂，然脈沉結比之微而沉者，則氣血凝滯甚，故致畜血發黃也，仍亦抵當湯主之，以下畜血也，畜血除則氣液通，黃隨消矣，按金匱要略所論女勞疸與此證相類。

傷寒有熱，少腹滿，應小便不利，今反利者，爲有血也，當下之，不可餘藥，少腹滿比鞕滿則最輕，上章承前小便自利，故曰小便不利者爲無血，此乃對上章，故曰應小便不利，今反利者爲有血，餘藥非他藥，謂破血劑也，宜抵當丸方。

水蛭二十箇熬　蝱蟲二十箇去翅足熬　大黃三兩　桃仁二十五箇去皮尖

右四味，擣分四丸，以水一升，煮一丸，取七合服之，晬時當下血，若不下者更服。千金作右四味爲末，蜜和合，分爲四丸，濟按此方比湯方。則分量少。而又分四丸者。以其證緩。故少其劑也。以水一升。煑一丸。取七合者。丸藥不去滓故也。又已爲丸。而更煑之服者。與湯方無大別。但連滓服之異耳。此亦自古一方劑。仲景氏採治血證之緩者也。

此承傷寒十三日過經讝語者有熱而更論傷寒有熱而畜血者也。言傷寒裏有熱少腹滿者。邪氣犯於下焦也。應小便不利。今反利者。膀胱氣和也。因知少腹滿邪熱敗血爲有畜血之所致。當下之。而但少腹滿。不至如狂者。此血證不劇。故不可餘藥。宜抵當丸矣。右二章。補言畜血證治。乃此篇之餘波。又按太陽病衄者輕。傷寒衄者重。今此畜血太陽病而劇傷寒而易者何。蓋太陽病者熱盛於寒也。故在表動其血，既衂則邪熱除，故其病輕矣。傷寒者，寒甚於熱也，故雖衂邪不去，故其病重矣。熱在裏畜血者，氣不得泄，故太陽熱盛而劇，傷寒寒甚而易也。是以熱盛者，能敗血，令心神擾亂也。

太陽病，小便利者，以飲水多，必心下悸，小便少者，必苦裏急也。正珍曰：小便少，乃不利之甚者，膀胱爲之填滿，故苦裏急也。裏急，謂腹裏滿急也。

此依前章小便利不利，而追論之也。言太陽病小便利者，飲水多過，則雖水通利，猶停心下而爲悸矣。金匱要略云：食少飲多，水停心下，甚者則悸，是也。小便少者，飲水多，則水填滿，必苦裏急也。恐此王叔和之所補。

傷寒論繹解卷第四　畢

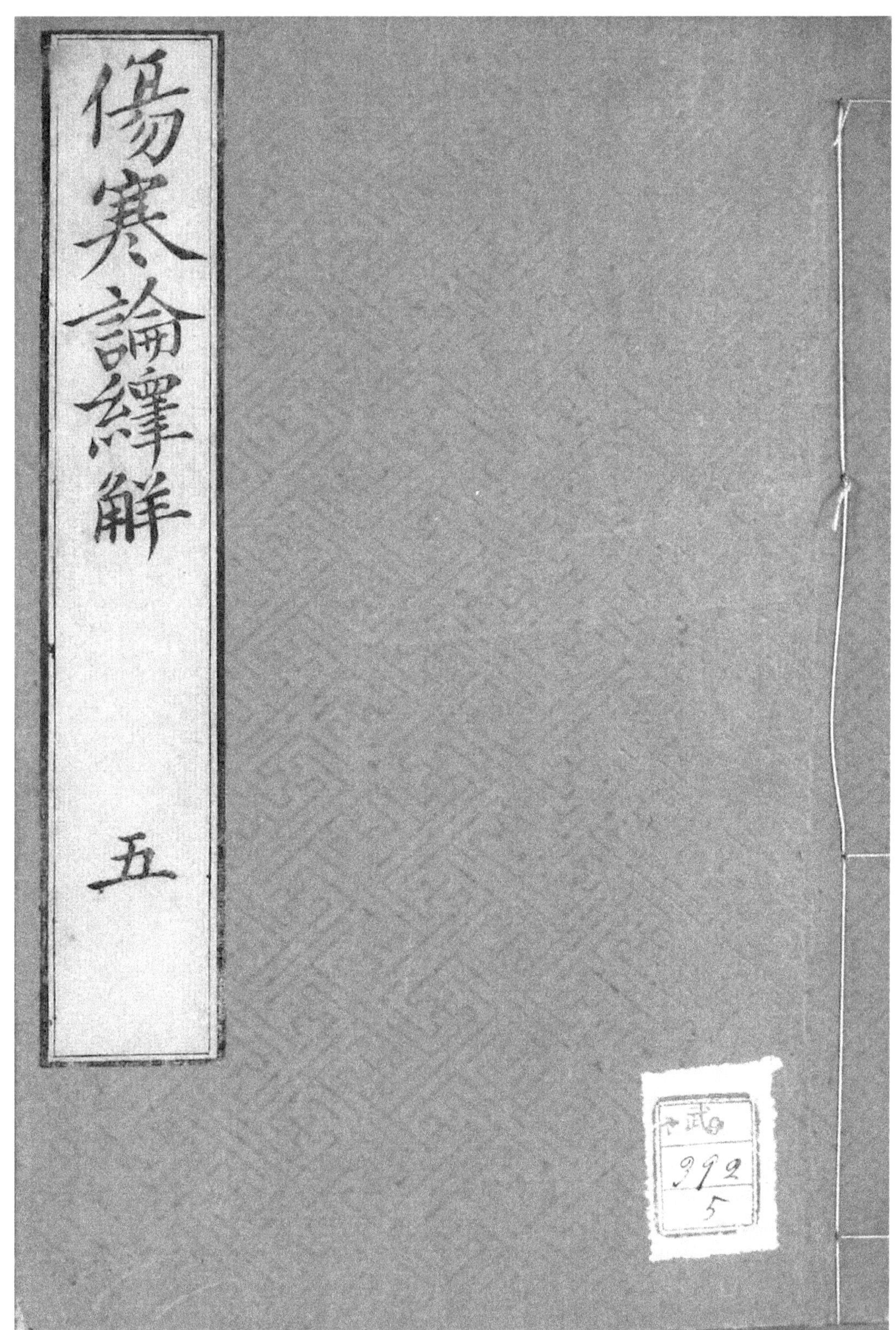
傷寒論繹解
五

傷寒論繹解卷第四

平安　柳田濟子和　著

辨太陽病脈證并治下第七。合三十九法，方三十首。并見太陽少陽合病法。

此篇論太陽病邪氣既犯於裏之諸證也。首章乃承接中篇太陽病六七日。表證仍在。脈微而沉。反不結胸。而舉結胸者。及其諸變中間乃自婦人中風。如結胸狀以下。至於傷寒胸中有熱。並皆辨結胸。心下支結。痞鞕者也。末段乃論風溼相搏。身體疼煩。傷寒脈浮滑。

表有熱裏有熱傷寒脈結代心動悸之異證。以總結此篇焉。又按上篇論邪氣在肌膚。其證緩者。中篇論邪氣在肌肉骨節。其證劇者。此篇論邪氣在裏。其證危急者。是所以太陽分爲三篇也。

問曰。病有結胸。有藏結。其狀何如。答曰。按之痛。寸脈浮關脈沉。名曰結胸也。何謂藏結。答曰。如結胸狀。飲食如故。時時下利。寸脈浮。關脈小細沉緊。名曰藏結。舌上白胎滑者難治。藏者。汎斥諸藏言也。藏結者。藏氣爲毒締結之謂。非邪氣結于藏也。若邪氣結藏。則猶結胸可曰結藏也。按之謂按心下也。

此篇結胸之末段。有藏結。故先雙提二結脈證。以辨別之也。蓋結胸者。心下鞕按之必痛。且爲邪結。脈氣盛於上。而不應下。故見寸脈浮。關脈沉。藏結者。如結胸狀。而胃府無邪。故飲食如故也。雖飲食如故。藏氣爲毒被締結。難行。因飲食化輸不速。留滯於內。故時時下利。其證如結胸。故寸脈浮。而藏氣結中焦塞。故關脈小細沉緊也。滑者。潤滑也。此舌上生白胎。而滑潤者。藏氣鬱結之極。而非熱實。故爲難治也。

藏結無陽證。不往來寒熱。一云寒而不熱。濟按。脈經。作寒而不熱。無陽證。謂無熱氣表發之證也、蓋藏結者、舊寒痼毒、在脇下及臍傍而痞者、爲外邪其毒觸動、痛引小腹入陰筋、因有見陽證及往來寒熱者、故曰下無陽證不往來寒熱也其人反靜。舌上胎滑者。不可攻也。藏結、其狀如結胸、乃當煩躁而靜、故曰反、

此章言藏結無陽證。不往來寒熱。其人反靜。舌上胎滑者。是外感邪熱沉伏。而正邪不分爭。但藏氣鬱結之所致。而本內虛寒。故雖有伏熱痞結。不可攻也。前章所謂難治之意。

病發於陽。而反下之。熱入因作結胸。病發於陰。而反下之。一作汗出、千金翼作而反汗之、因作痞也。所以成結胸者。以下之太早故也。上篇云、病有發熱惡寒者、發於陽也、無熱惡寒者發於陰也、此即是也、錢潢曰、

反下之者。不當下而下也。因者。因誤下之虛也。結胸則言熱入者。以發熱惡寒。表邪未解。誤下則熱邪乘虛陷入。而爲結胸。以熱邪實於裏。故以大小陷胸攻之。痞不言熱入者。蓋陰病本屬無陽。一誤下之。則陽氣愈虛。陰邪愈盛。客氣上逆。即因之而爲痞鞕。如甘草半夏生薑三瀉心湯證是也。直指方曰。乾上坤下。其卦爲否。陽隔陰而不降。陰無陽而不升。此否之所以痞而不通也。

此篇次結胸論痞。故先辨成結胸成痞之病源也。

言病發於陽者。寒熱盛於表。發熱惡寒。法當發汗。而反下之。乃邪熱入。因作結胸。病發於陰者。寒邪徑進於裏。無發熱惡寒。法當溫散。而反下之。乃寒邪逆結心下。因作痞也。若表解熱實於裏而下之。自無變逆之患。故斷以太早二字。但言下早爲結胸之故而不及痞者此主論結胸故也又按以上三章疑非仲景氏之舊乃王叔和補入如何則蓋設為問答以說之者是後人之追論而固非本論之體裁且辨結胸痞之病源者與後章所言大異也宜併考傷寒五六日嘔而發熱云云以知其義矣今以結胸者項亦強之章作此篇首看

結胸者項亦強如柔痙狀下之則和成無己曰結胸病項強者為邪結胸中胸膈結滿心下堅實但能仰而不能俛是項強亦如柔痙之狀也柯琴曰頭不痛而項猶強不惡寒而頭汗出故如柔痙狀済按結胸者必項強此從結胸心下堅實而項強也故曰亦非邪氣在外而項強然項強如柔痙者嫌可發汗故曰下之則和宜大陷胸丸方此陷下胸腹結毒故以名

大黄半斤　葶藶半升熬　芒消半升　杏仁半升去皮尖熬黑。

右四味。擣篩二味。內杏仁芒消。合研如脂。和散。取如彈丸一枚。別擣甘遂末一錢匕。彈、激圜也。陶隱居名醫別錄云、凡丸藥云如梧桐子者、以二大豆準之。云如彈丸、及雞子黃者、以四十梧子準之。又云五七者、卽今五銖錢邊五字者、抄之不落爲度。濟按四十梧子、恐十梧子之誤。若四十梧子、則甚過多。白蜜二合。水二升。煑取一升。溫頓服之。一宿乃下。如不下更服。取下爲效。禁如藥法。戒作劑。不如藥法。必無其效也。此雖名丸。更煑之、則與湯劑無大別。但有杏仁葶藶白蜜者、蓋古方。而仲景氏、採治結胸緩者。故所用之分量亦少矣。張子和儒門事親云、急則用湯、緩則用丸。或以湯送丸、量病之微甚。中病卽止。不必盡劑。此之謂也。

此承中篇太陽病六七日。表證仍在。脈微而沉。反不結胸。而論其結胸者也。故單曰結胸。蓋結胸者。邪熱與氷氣相結。而實於胸膈。毒氣逼項背。乃心下痞鞕。項亦强。如柔痓狀。而太陽病。不因誤下結胸者。其病自緩。而卒不至大熱實。水氣激動。而喘鳴息迫。故宜與大陷胸丸。以下水熱結毒。緩急則項强亦和也。此章專明結胸者。項亦强之由。故如其證。令之知于藥能略言焉。非爲項强如柔痓用此丸也。此篇主論大陷胸湯。而先擧大陷胸丸者。是欲見太陽病六七日。結胸緩證。令之以知大陷胸湯之結胸劇烈故也。卽與中篇先擧葛根湯同意。可見雖太陽分爲三篇。然篇章連續。如環無端。矣。若不玩索篇次章句。而欲解之。猶聾者聽宮商。盲者不任杖。豈可得邪。

結胸證。其脉浮大者。不可下。下之則死。結胸者。非病名。故曰證。

此就前章下之則和。而論其不可下者也。言結胸證當下之。而其脉浮大者。表邪未盡。因結胸亦未甚也。故不可下。若誤下之則裏虛邪盡內陷。正不堪邪而死。此暗含若脉沉緊者。可下之意。後章論小結胸。脉浮滑者。主小陷胸湯。宜相照以施治矣。

結胸證悉具。煩躁者亦死。悉具。謂膈內拒痛。熱實。脉沉緊。心下痛。按之石鞕。頭汗出等證具也。柴胡湯曰見一證便是。此曰悉具。互示其義也。程應旄曰。此時下之則死。不下亦死。惟從前失下。至於如此。須玩一悉字。喻昌曰。亦字承上。見結胸證全具。更加煩躁。即不下亦主死也。

此接前章。申明結胸表已解。而脈不浮大者。宜下之。其證悉具煩躁者。邪氣旣勝正。乃下之不下。俱無生理。故亦死。是言治術之樞要。必在其證悉具與未具之際也。又按太陽二篇。未論死證。而今此篇首。突然舉之者何。蓋前篇所論。亦有危篤。然皆唯引日之證。而非可卒死者。此篇所論結胸者。其毒逆最劇。且其所邪結。莫急於茲矣。若救療不速。則忽至死。故先論死證。以戒緩劑羈遲之禍也。即

與傷寒中風有柴胡證但見一證便是不必悉具

意同但有緩急耳或以爲錯簡非也

太陽病脈浮而動數浮則爲風數則爲熱動則爲痛

數則爲虛浮則邪氣在外而熱氣浮越故爲風數則熱氣有餘而血液虛故爲熱又爲虛動則陰陽相搏故爲痛又按數則爲虛之數疑遲字譌脈法遲爲虛脈似言下文變遲之脈義矣金鑑以數則爲虛句爲衍文惟忠曰浮則爲風至數則爲虛十六字後人之傍注謬混正文也頭痛發熱

微盜汗出而反惡寒者表未解也醫反下之動數變

遲睡中汗出猶盜入人室內竊奪其藏物故謂之盜汗呉又可溫疫論云凡人目張則衞氣行於陽目瞑則衞氣行於陰行陽謂升發於表行陰謂斂降於內今內有伏熱而又遇衞氣兩陽相搏熱蒸于外則腠理開而盜汗出矣此能辨盜汗者也蓋頭痛發熱微盜汗出者表裏有熱當不惡寒而惡寒者邪尚在

表也。故曰反。曰表未解。盜汗主裏熱。故惡寒。曰反。而惡寒者。又主表。故下之。曰反。二反字。有深意。宜玩味。

膈內拒痛。一云頭痛即眩。玉函作頭痛即眩。胃中空虛。客氣動膈。短氣躁煩。心中懊憹。方有執曰。膈。心胸之間也。拒。格拒也。言邪氣入膈。膈氣與邪氣相格拒。而爲痛也。空虛。言真氣與食氣。皆因下而致虧損也。濟按。空虛。謂極無物也。胃中空虛。則當無逆氣。而今逆動膈。故曰客氣。即與甘草瀉心湯證云。此非結熱。但以胃中虛。客氣上逆。故使鞕同。陽氣內陷。言衛護外之陽氣內陷也。心下因鞕。則爲結胸。大陷胸湯主之。若不結胸。但頭汗出。餘處無汗。劑頸而還。此盜汗變也。小便不利。身必發黃。

大陷胸湯方

大黃六兩。去皮。千金無去皮二字。是　芒消一升　甘遂一錢匕右三味以水六升先煑大黄取二升去滓内芒消煑一兩沸内甘遂末溫服一升得快利止後服。甘遂性猛烈若煑熟則反氣鈍而其效劣故爲末臨服内之此雖經誤下其證最急劇若不快利則不解故曰得快利止後服也柯琴方論云以上二方比大承氣更峻治水腫利疾之初起者甚捷然必視其人之壯實者施之如平素虛弱或病後不任攻伐者當念虛虛之禍

此承前大陷胸丸章而論太陽病表未解醫反下之陽氣内陷因爲結胸若不結胸邪熱瘀於裏發黄者也太陽病脈浮而動數頭痛發熱微盜汗出是表裏有熱而反惡寒者表邪未解裏未實也醫反下之動數變遲膈内拒痛胃中空虛客氣動膈

短氣躁煩、心中懊憹。是誤下裏虛。表邪及心胸。客氣上逆。氣液不行。相格拒而急迫也。時脈仍浮而遲。則未邪熱盡入爲結胸也。陽氣內陷者。表邪之內攻最急也。乃邪盡入。而與水氣結實。心下因鞕。則既爲結胸也。至此其脈沉緊。不俟言可知矣。下後陽氣內陷爲結胸者。其證暴急。不速下之。則正虛不勝邪。必至不可救矣。故大陷胸湯主之。以再下水熱結毒。得快利止後服也。若不結胸。但頭汗出。餘處無汗。劑頸而還。小便不利。是下後邪熱瘀鬱於裏。而熏蒸水液。身必發黃也。此自中篇太陽病身黄。脈沉結。少腹鞕。小便不利者。爲無血也。小便自利。其人如狂者。血證諦也。來而言其無血證者。爲後論發黄之根基。

傷寒六七日。結胸熱實。脈沉而緊。心下痛。按之石鞕者。大陷胸湯主之。此傷寒。故熱實。脈沉而緊。乃與前浮而動數。反對。又挍大陷胸丸證。則此熱實爲專矣。石鞕。謂極堅也。

此對前章而論傷寒湊劇。六七日。邪氣直陷入結胸熱實者。又照之于中篇傷寒五六日中風章。以示緩急也。蓋傷寒五六日中風。雖邪犯胸脇。熱氣尚能達於表。乃見往來寒熱等證。是不甚急者也。

故主小柴胡湯。六七日結胸熱實。脉沉而緊。心下痛。按之石鞕者。邪熱與水氣結實。是急劇者也。故大陷胸湯主之。因次章辨別柴胡陷胸之證候矣。

或問曰。見太陽病六七日。表證仍在。脉微而沉。反不結胸。則太陽病六七日。亦有結胸者也。然則似太陽結胸。傷寒結胸。無緩急之差。何以別乎。請詳之。答曰。太陽病不經下。而結胸者。自緩而卒。不至大熱實。是所以大陷胸丸章。卽承夫太陽病六七日章也。傷寒六七日結胸者。忽至熱實。雖等六七日結胸。其證自有緩急劇易之別也。可以見焉。

傷寒十餘日。熱結在裏。復往來寒熱者。與大柴胡湯。

此準傷寒中風緩者，故十餘日而致此證，熱結在裏者，外證應罷，而更往來寒熱，故曰復，假大柴胡證，欲以明大陷胸證，此自實見主，且爲後章更論柴胡湯證之地也。

但結胸無大熱者。此爲水結在胸脇也。

喻昌曰，無大熱，與上文熱實互意，內陷之邪，但結胸間，表裏之熱，反不識盛，程應旄曰，熱盡入裏，表無大熱矣，無大熱，更無往來之寒可知，濟按，熱結在裏，往來寒熱者，有邪半在外，此盡入在於心胸，故曰但結胸，此對熱結在裏，往來寒熱而言，但結胸無大熱者，水結在胸脇也。

但頭微汗出者。大陷胸湯主之。

結胸熱實者，證治易得，但結胸無大熱者，其證極難察，故曰此爲水結在胸脇，以斷熱氣爲水結不發，更由頭汗出，以明伏熱甚矣，此與前章不結胸，但頭汗出，反應雖同頭汗出，彼不結胸，此結胸，故大陷胸湯主之，錢潢曰，若但結胸，而身無大熱，其邪不在表可知，尚論言，後人誤謂結胸之外，復有水結胸一證，又謂下文支結，乃支飲結聚，亦別一證，殊爲可笑。愚謂若水飲必不與熱邪並結，則大陷胸方中何必有逐水利飲之甘遂乎。可謂一言破惑。此說是。

大柴胡湯方

柴胡半斤　枳實四枚，炙　生薑五兩，切　黃芩三兩　芍藥三兩　半夏半升，洗　大棗十二枚，擘

右七味，以水一斗二升，煮取六升，去滓，再煎，更服一升，日三服。一方加大黃二兩，若不加，恐不名大柴胡湯。更字，中篇作溫，是。

此承傷寒六七日結胸熱實，而辨別傷寒十餘日熱結在裏，復往來寒熱者，但結胸無大熱，水結在胸脇，但頭微汗出者，以明治方也。熱結在裏復往

來寒熱者邪氣半在外而內無水結仍與大柴胡湯以治但結胸無大熱者此爲水結在胸脇也而但頭微汗出者是非止水結裏熱與水氣相并伏結於胸脇而不表發壹上逆故也此非寒實結胸無熱證之類故由熱結在裏以起證矣蓋傷寒日久而結胸者邪氣進緩乃似其證易然無大熱而但頭微汗出者水熱伏結甚之所致故非大陷胸湯峻劑則不可救也又按此章曰熱結在裏者屬白虎加人參湯證然往來寒熱非白虎加人參證往來寒熱者屬小柴胡湯證然熱結在裏非小柴

胡之所及。水結在胸脇。頭汗出者。似十棗湯證。然結胸熱實。非十棗之所宜。可見古人別證處方之精微。毫釐不差矣。豈可不尊信哉。

太陽病重發汗而復下之。言發汗已。而重發汗。而且復下之。不大便五六日。下後五六日也。此章之主意。舌上燥而渴。日晡所小有潮熱。一云。日晡所發心胸大煩。濟按千金。作日晡有小潮熱。心胸大煩。小有潮熱。未至胃家大熱實也。從心下至少腹鞕滿而痛不可近者。此前心下因鞕之甚也。從心下至少腹鞕滿。故不曰結胸。然見言從心下。則邪結專在於心胸也。可自知矣。鞕滿而痛。不可近者。邪熱與水氣結。正邪相搏擊之甚也。若夫胃實燥結瘀血舊寒。雖其毒大。沉潛痼著。而不動則亙不痛。痛亦不甚。是正邪搏擊不太急故也。大陷胸湯主之。

此承太陽病脈浮而動數章云惡寒者表未解而論發汗表已解重發汗而復下之邪氣不徹徒氣液亡日後熱加與水氣結實滿於胸腹者也蓋不大便五六日舌上燥而渴日晡所小有潮熱者大似承氣湯證然承氣主胃實燥結腹鞕滿今從心下至少腹鞕滿而痛不可近者是邪結專在於心胸而及腹不大便五六日故也仍亦為大陷胸湯之所主治矣

小結胸病正在心下按之則痛王宇泰曰上文云鞕滿而痛不可近者是不待按而亦痛也此云按之則痛是手按之然後作痛爾上文云至少腹是通一腹而言之此云正在心

下則少腹不鞕痛可知矣熱微於前故云小結胸也脈浮滑者喻昌曰其人外邪陷入原微但痰飲素盛挾熱邪而內結所以脈見浮滑也濟按浮滑與沈緊反對即與結胸證其脈浮大類而彼邪氣在表裏此正在心下而邪氣原微緩小陷胸湯主之方此方比大陷胸湯藥力小故名

黃連一兩　半夏半升洗　括樓實大者一枚

右三味以水六升先煑括樓取三升去滓內諸藥煑取二升去滓分溫三服括樓實有油臭氣故先煑之王宇泰曰括樓實連殼剉用去殼無功是今人惟用仁大非也實猶枳實之實非仁以大者一枚可知矣

此章單曰小結胸者直對前章結胸大毒劇烈者而但舉其結毒之小者故也病正在心下按之則痛脈浮滑者微邪與水氣幷鬱結於心胸而熱氣

上浮也故小陷胸湯主之以解水熱鬱結矣張錫駒曰按湯有大小之別證有輕重之殊令人多以小陷胸湯治大結胸證皆致不救遂謗結胸爲不可治之證不知結胸之不可治者止一二節餘皆可治者也苟不體認經旨以致臨時推諉悞人性命誒可嘆也

太陽病二三日不能臥但欲起心下必結脈微弱者此本有寒分也但欲起嗜臥之反俱失常也此本有寒分是其明病源也寒者謂裏寒之寒而痰液停水之與陽氣不相接無溫煖氣之水也寒分別熱之辭成無己曰太陽病二三日邪在表也不能臥但欲起心下必結者以心下結滿臥則氣壅而愈甚故不能臥而但欲起也心下結滿有水分有

血分有氣分今脈微弱知本有寒分反下之若利止必作結胸未止者四日復下之此作協熱利也。

此亦就太陽病表未解而反下之因為結胸而更論太陽病本有寒分者反下之作結胸而彼邪熱在表裏因若不結胸身必發黃此本有寒分因若不結胸作協熱利也言太陽病二三日邪氣在表當起臥猶常而不能臥但欲起心下必結脈亦應浮緊而微弱者其人本有寒水今為外邪結滿也此當溫散而反下之若邪熱忽內結利未可止而頓止者必作結胸又當止而未止者第四日復下

之。因水熱不能停結。乃作協熱利也。此後章論協熱利之根起。

太陽病下之。其脈促。（一作縱）不結胸者。此爲欲解也。脈浮者。必結胸。脈緊者。必咽痛。脈弦者。必兩脇拘急。脈細數者。頭痛未止。脈沉緊者。必欲嘔。脈沉滑者。協熱利。脈浮滑者。必下血。

此章義未詳。獨主脈辨太陽病下後之諸變。意亦王叔和撰次補入之語。

病在陽。應以汗解之。反以冷水潠之。若灌之。（病在陽。斥病在外。言邪熱表發也。字彙云。潠。含水噴也。洪園曰。灌從上落。溉水之稱。）其熱被劫不得去。

彌更益煩。肉上粟起。玉函無冷字。及彌更二字。肉作皮。爾雅翼云。古以米之有孚殼者。皆稱粟。今人以穀之最細而圓者。爲粟。濟按粟起。謂如粟粒毛竅起也。意欲飲水。反不渴者。服文蛤散。若不差者。與五苓散。水。惟忠曰。意欲飲。則當多飲。而少入忽饜。故曰反不渴。蓋渴者。多飲無饜之謂也。此雖其煩之甚。而本非邪之重者也。惟以其以冷水潠之若灌之。故逆之所致耳。豈如夫直入裏之甚乎。濟按以上。言水逆煩熱。以處利水二方者。是爲寒實結胸。先設一案也。寒實結胸。無熱證者。謂無煩熱。及熱實也。與三物小陷胸湯。白散亦可服。一云。與三物小白散。濟按玉函作與三物小白散。是也。原本曰與三物小陷胸湯白散亦可服者。恐傳寫之誤也。如何寒實結胸無熱證者。是水寒毒氣內陷極劇。固非小陷胸湯之所可得治。唯白散者。實的當也。

文蛤散方

文蛤五兩

右一味。爲散。以沸湯和一方寸匕服。湯用五合。

五苓散方

猪苓十八銖去黑皮　白朮十八銖　澤瀉一兩六銖　茯苓十八銖

桂枝半兩去皮

右五味。爲散。更於臼中杵之。白飲和方寸匕服之。日三服。多飲煖水。汗出愈。此與中篇所舉文辭稍異。恐是後人之所改。中篇爲正矣。

白散方三物。其色皆白。故名白散。外臺名桔梗白散。

桔梗三分　巴豆一分去皮心。熬黑研如脂。玉函作六銖。

貝母三分。玉函。桔梗貝母。各十八銖。

右三味爲散。内巴豆。更於臼中杵之。以白飲和服。巴豆性極峻猛。煮之其效劣。故爲散。強人半錢匕。羸者減之。病在膈上必吐。在膈下必利。羸。瘦也。白散極峻。故病在膈上必吐。在膈下必利。不利進熱粥一杯。利過不止。進冷粥一杯。巴豆者。大熱大毒。故得熱則其毒益強。而下速也。但忌寒冷。故得冷則其毒殺。是故不利者。進熱粥以促之。利過不止者。恐生變證。乃進冷粥殺毒以止之。桔梗白散方後云。若利不止者。飲冷水一杯則定。身熱皮粟不解。欲引衣自覆若以水潠之洗之。益令熱劫不得出。當汗而不汗則煩。假令汗出已。腹中痛。與芍藥三兩。如上法。身熱皮粟以下。此後人之追論。而與本節所言不相合。玉函無之。是也

此章言病在陽應以發汗解之。反以冷水潠之若

灌之。其熱被劫不得去。陽氣爲水寒所束。而不能四布。邪熱漸進。故彌更益煩。水寒侵奪皮膚之陽。故肉上粟起。意欲飲水。反不渴者。此邪氣尚淺。因服文蛤散。專利水道。則氣通鬱熱復自發。水寒隨去。若不差者。邪氣及下焦。膀胱氣不和。水道閉塞。而此亦不浚劇。因與五苓散。以發表利水。則解。若水寒凝密。其毒與外邪并。忽內陷而結實心胸者。令熱氣不能怫鬱於外。遂致消滅。故無熱證。此最急劇。不速除之。則陽氣遏絕而死。因與三物小白散。以下寒破結矣。此與結胸熱實相爲照應。以了結胸之大意焉其所帶敘有得下而結胸者有不經下而結胸者或本有寒分者或潠灌者乃互論之熱實之極痛不可近寒實之至無熱證小陷胸湯治其微淺大陷胸丸治其緩大陷胸湯三物小白散攻其突劇亦互論之依此等所說勘合處置則其他內陷結胸治方可推而知也又按前曰結胸熱實此曰寒實結胸者蓋感外邪者陰氣忽凝於外而生寒陽氣爲毒過鬱於內而生熱而寒能陷于內熱能發于外寒陷則熱實於內乃以寒爲本以熱爲標故於熱實則曰結胸熱實於寒實則

曰寒實結胸也。或以寒實以下。為別章。非也。

太陽與少陽併病。言太陽頭項強痛。惡寒發熱。未全罷。而併見少陽口苦咽乾目眩也。頭項強痛。或眩冒。時如結胸。心下痞鞕者。是於併病證內。舉令專見者也。當刺大椎第一間。肺俞肝俞。大椎一穴。在大一椎上陷。肺俞二穴。在三椎下傍二寸。肝俞二穴。在九椎下傍二寸。慎不可發汗。發汗則讝語脈弦。五日讝語不止。當刺期門。玉函。五下有六字。是

此為後章如結胸狀讝語者。先論之也。太陽與少陽併病。頭項強痛。或眩冒。時如結胸。心下痞鞕者。太陽陽氣衰。外邪及胸脇也。故當刺大椎第一間。肺俞肝俞。瀉邪鬱以治之。慎不可發汗。發汗則氣

液亡。邪熱結於裏。而致譫語脈弦之變。而此本非胃家實之譫語。故經曰。津液復。結熱解散。則譫語當止。若五六日不止者。雖津復。鬱結尚不解也。當刺期門。以瀉之矣。蓋刺法當如斯。然而此可兼施之術耳。若湯藥宜隨證用。

婦人中風。婦人病與男子無二。但經水適來適斷崩漏産後與男子有不同。故冒首婦人字。此即太陽中風。今以冒婦人略言也。發熱惡寒。經水適來。中風發熱。則當不惡寒。而惡寒者。經水將來。血氣內肅故也。因既經水來。則邪熱直入血室。隨血解。若其血結斷者。續得寒熱發作有時也。經水者。謂諸經血滿。歸注於血室。下泄而爲月水也。字典適字注。引正韻云。適然。猶偶然也。得之七八日。熱除而脈遲身涼。胸脇下滿。如結胸狀。譫語者。此爲熱入血室也。當刺期門。隨其實而取之。七八日。經水將畢之期也。血室者。一名血海。即衝任脈也。爲諸經之總任。熱除。發熱止也。脈遲。浮緩變遲也。身涼。不惡寒也。以上皆言表邪入裏。實邪實也。

此章論雖如結胸狀譫語。此唯熱入血室之爲患者而已。不關胃家。用陷胸承氣。不可以攻下也。言婦人中風發熱惡寒。因經水適來。邪熱入血室中。隨血下泄。及七八日。經水已盡。表熱除去。故脈遲身涼也。胸脇下滿。如結胸狀譫語者。血熱餘邪鬱結於胸脇下之所致。而非胃家熱實之證。故刺期門。隨其結實而取之可也。

婦人中風七八日，續得寒熱，發作有時。此與前章七八日相應。而彼經水續來，故得之七八日寒熱除。此經水斷，故七八日續得寒熱發作有時也。經水適斷者，此爲熱入血室，其血必結。初經水來者，遭感邪適斷也。斷，截也。其血，斥經水言也。故使如瘧狀，發作有時。如瘧狀，以寒熱發作有時言也。是明上文寒熱發作有時，經水斷之所由也。小柴胡湯主之方

柴胡半斤　黃芩三兩　人參三兩　半夏半升，洗　甘草三兩

生薑三兩，切　大棗十二枚，擘

右七味，以水一斗二升，煮取六升，去滓，再煎取三升，溫服一升，日三服。

此接前章，而申明婦人經水來之時，偶感外邪，其

熱乘入血室。其血爲熱結而適斷。因熱亦不得泄。鬱於胸脇。乃致寒熱發作有時。如瘧狀之變。此非刺法之所宜。主小柴胡湯。以解散邪熱。則血復自行而愈矣。

婦人傷寒發熱。傷寒者。或已發熱。或未發熱。必惡寒。此言其已發熱。經水適來。晝日明了。暮則譫語。如見鬼狀。此爲熱入血室。明了謂心神無所病也。字彙云。鬼者歸也。韓詩外傳。人死肉骨歸于土。血歸於水。魂氣歸於天。其陰氣薄然獨存無所依也。故曰鬼。無犯胃氣及上二焦。必自愈。犯與知犯何逆之犯同。謂邪氣進犯入也。犯胃氣。犯傷胃氣之謂。上二焦。對邪熱陷下焦入血室而言也。即上中二焦也。靈蘭祕典論云。三焦者。決瀆之官。水道出焉。榮衛生會篇云。上焦如霧。中焦如漚。下焦如瀆。按三焦者。三脘之謂也。經言決瀆之官者。以下焦主之。故又分解之。爲如霧漚瀆。
呉崐曰。上焦不治。水溢高原。中焦不治。水停中脘。下焦不治。水畜膀胱。亦能辨三焦者也。高原卽是上脘。膀胱卽是下脘。爲三焦之所分部。然其所謂如霧漚瀆者。不可形見。故論中就其所分部之三脘立之候證。謂之三焦。是故胸脇苦滿。心煩喜嘔等證。則邪氣爲在上焦。腹滿痛。不能飲食。煩渴引飲等證。則邪氣爲在中焦。少腹滿。小便不利。下血尿血等證。則邪氣爲在下焦也。方有執曰。必自愈者。言伺其經行血下。則邪熱得以隨血而俱出。猶之鼻衄紅汗。故自愈也。

此對上二章。而論之也。言傷寒發熱之時。遭經水適來。邪熱因陷下焦。入於血室。則表熱旣退。惡寒亦罷也。蓋衞氣晝行於陽。而無表邪之爭者。故晝則明了。夜行於陰。而血室有熱。故衞氣與熱相搏。血熱穢氣上乘心。而擾神明。乃夜則譫語。如見鬼狀。是熱凌伏於血室。漸隨經血而泄故也。此與晝日煩躁不得眠。夜而安靜。互宜併考以知病機矣。雖譫語如見鬼狀。晝日明了者。非邪熱實胃。此爲熱入血室也。蓋中風者邪氣微緩。故經水來熱入血室。餘邪犯中焦。胸脇下滿如結胸狀。譫語者。得刺法而解。又經斷熱不解。而犯上焦。寒熱如瘧狀。發作有時者。得小柴胡湯而治。唯傷寒者。邪氣凌劇。故經水來若苟有邪熱犯胃氣及上二焦。則其變必至危篤矣。故曰無犯胃氣及上二焦。必自愈。以明熱陷下焦。盡入血室者。隨經解必將自愈也。

然而成無己以來凡注此書者無字訓爲禁止之辭犯爲犯逆治之義而其所說各異而靡可適從矣是全失未得經意也獨程林金匱直解云上章以往來寒熱如瘧故用小柴胡以解其邪下章以胸脇下滿如結胸狀故刺期門以瀉其實此章則無上下二證似待其經行血去邪熱得以隨血出而解也此說近是按金匱要略載此章無犯上有治之二字是後人之所加也解詳見于金匱要略纆解又按上章承結胸證而論熱入血室而見如結胸狀因更舉經斷經來之二章示婦人病與男子有稍異之

證此結胸餘波帶敘其疑似者令其彼此相顧而能知其淺深表裏邪氣之所據則結胸一番毫髮無遺憾因下更開一頭地以爲轉捩者也

傷寒六七日中篇傷寒五六日中風柴胡證前章傷寒六七日結胸熱實大陷胸湯證同是傷寒六七日際而隔章立論以爲義者亦宜參合于此備盡其所由矣發熱微惡寒支節玉函作肢節是煩疼微嘔心下支結外證未去者王宇泰曰支節猶云枝節古字通也支結猶云支撐而結南陽云外證未解心下妨悶者非痞也謂之支結柴胡桂枝湯主之方

桂枝去皮玉函一兩半　黃芩一兩半　人參一兩半　甘草一兩炙

半夏二合半洗　芍藥一兩半　大棗六枚擘　生薑一兩半切　柴胡四兩

右九味。以水七升。煑取三升。去滓。溫服一升。本云人參湯。作如桂枝法。加半夏柴胡黃芩。復如柴胡法。今用人參。作半劑。〔玉函。無本云以下二十九字。是。正珍曰。本云以下。後人攙入。蓋此方。合柴胡桂枝二湯。以爲一方者已。非人參湯變方也。〕

此承傷寒五六日中風。及傷寒六七日。結胸熱實。而卻復論六七日。心下支結。外證未去者。以示緩急也。結胸沉鞕而有實。支結有形而無實。以下因欲辨心下作滿作痞者。故先主邪氣淺緩支撐心下之狀。以爲後段之起本焉。言傷寒六七日。發熱微惡寒。肢節煩疼者。邪氣尚在表也。而今惡寒微者邪既犯於裏微於表故也雖邪既犯裏微嘔心下支結者裏邪亦微也因柴胡桂枝湯主之以雙解表裏矣按此章既舉發熱微惡寒等證而復曰外證未去者何蓋傷寒六七日邪氣犯裏之時既見微嘔心下支結者外證當去而未去故也今雖外證未去而病機既在於裏故於方不曰桂枝柴胡湯者以柴胡爲主也

傷寒五六日已發汗而復下之胸脇滿微結小便不利渴而不嘔但頭汗出往來寒熱心煩者此爲未解也柴胡桂枝乾薑湯主之方

柴胡半斤 桂枝三兩去皮 乾薑二兩 括樓根四兩 黃芩三兩

牡蠣二兩熬 甘草二兩炙

右七味，以水一斗二升，煮取六升，去滓，再煎取三升，溫服一升，日三服。初服微煩，復服汗出便愈。

此章曰五六日者，日數少於前章，而其證則邪氣淺於前證，是已發汗而復下之故也。未解者，與外證未去互明其治也。言傷寒五六日中已發汗，其證不盡除，而復下之，因氣液虛耗，餘邪及裏而衝逆，乃胸脇滿微結，小便不利，渴而不嘔，但頭汗出，往來寒熱，心煩者，此汗下後當解而爲未解也。故柴胡桂枝乾薑湯主之。以散餘邪。潤燥降逆氣。初服鬱結解。將表發而未能。因微煩。復服氣液得通。汗出便愈矣。

傷寒五六日。頭汗出。先舉頭汗者。此章之主意。微惡寒手足冷。心下滿口不欲食。大便鞕脈細者。此爲陽微結。必有表復有裏也。脈沉亦在裏也。汗出爲陽微。陽微結者。陽氣微結也。對純陰結。乃以頭汗出。微惡寒手足冷言也。陽微。陽微結之略言。假令純陰結。不得復有外證。悉入在裏。此爲半在裏半在外也。脈雖沉緊。不得爲少陰病。所以然者。陰不得有汗。今頭汗出。故知非少陰也。復提頭汗。確實陽微結。此總上文云。所以然者也。自此爲陽微結。至非少陰也。

乃欲辨別陽微結與純陰結之疑途詳其脉證也蓋斜揷可與小柴胡湯設不了了者得屎而解此自上文大便鞕來

此承前章但頭汗出往來寒熱心煩而論傷寒五六日脉證大類少陰病者也頭汗出微惡寒手足冷心下滿口不欲食大便鞕脉細者邪氣淩犯及裏熱氣伏於胸脇而不表發氣逆上也故此爲陽微結必有表證復有裏證也脉不惟細雖沉亦病在裏也汗出非純陰結乃爲陽微結假令純陰結不得復有外證邪悉入在裏此爲半在裏半在外也因知脉沉亦陽微結之所致而汗出伏熱升泄

津液故也。又加二一層脈不一惟沉。雖沉且緊。汗出不レ得レ爲二少陰病一所以然者何。蓋少陰病者。陰氣衰少。寒毒徑進。而無二熱發一因不レ得レ有レ汗。今頭汗出。故知レ非二少陰一也。論曰。傷寒四五日。身熱惡風。頸項强。脇下滿。手足溫而渴者。小柴胡湯主レ之。今此微惡寒。手足冷。溫冷相反。然邪熱鬱滿於胸脇則一也。故可レ與二小柴胡湯一也。服レ湯諸證減而設不レ了了者。伏熱成レ燥。屎二胃氣一不レ和也。故得レ屎而解。是卽先與二小柴胡一嘔不レ止。心下急。鬱鬱微煩者。爲レ未レ解也。與二大柴胡湯一下レ之則愈之意。宜二相照處一方。此章所レ論。與

傷寒脈浮緩身不疼但重乍有輕時無少陰證者大青龍湯發之粗同病理但彼邪結專在於表此專在於裏故詳辨其脈證而定治方也

傷寒五六日嘔而發熱者發熱而嘔者邪氣專在表此見專在胸脇而嘔主焉故曰嘔而發熱柴胡湯證具按具字下加也字看爲善不爾則義難通矣此亦論傷寒五六日中風之外證稍異者故曰柴胡湯證具以實之也具謂胸脇苦滿柴胡正證也言發熱者非柴胡之證嘔亦兼證然五六日嘔而發熱者邪犯於胸脇苦滿柴胡證具也若但嘔而發熱則不爲具矣所謂傷寒中風有柴胡證但見一證便是之意而以他藥下之柴胡證仍在者他藥對柴胡湯言下藥也柴胡證仍在言胸脇苦滿證不罷也復與柴胡湯此雖已下之不爲逆必蒸蒸而振卻發熱汗出而解此凡柴胡湯病證而

下之之意。而更明其逆變也。補添此雖已下之、不爲逆二句者、爲言下致逆變之一案也。若心下滿而鞕痛者。此爲結胸也。大陷胸湯主之。但滿而不痛者。此爲痞。柴胡不中與之。宜半夏瀉心湯。方柯琴曰、此條本爲半夏瀉心而發。故只以痛不痛分結胸與痞。未及他證。濟按、結胸者、非他藥之可議。故斷曰大陷胸湯主之。痞者、有嫌猶可與柴胡湯。故曰柴胡不中與之。宜半夏瀉心湯。瀉心者、瀉心胸邪熱之謂。程應旄曰、瀉心雖同、而證中具嘔、則功專滌飲。故以半夏名湯耳。

半夏半升洗　黃芩　乾薑　人參　甘草炙各三兩

黃連一兩　大棗十二枚擘

右七味、以水一斗、煮取六升、去滓再煎、取三升、溫服一升、日三服。須大陷胸湯者、方用前第二法。須以下十二字。

此後人之傍注，繆混本文也。

此承前三章，傷寒六七日，或五六日，邪氣犯於胸脇之緩者，以概舉柴胡證結胸證，輒致相異而後見痞之一證也。言傷寒五六日，邪氣犯於胸脇之時，嘔而發熱者，柴胡湯證具也，宜服柴胡湯，而以他藥下之，柴胡證仍在者，復與柴胡湯。此雖已下之，不爲逆，故服湯鬱結散，則復將發於表，其勢必蒸蒸而振，卻發熱汗出而解。若邪熱內陷與水氣結實，心下滿而鞕痛者，爲逆變劇，此爲結胸也。乃大陷胸湯主之，再下之，邪熱挾水氣壅於心下，阻升降氣。但滿而不痛者。爲逆變緩。此爲痞。是猶可與柴胡湯。然下後外邪盡入裏無發熱之機。復胸脇苦滿去者。柴胡不中與之也。宜半夏瀉心湯。以解痞熱散水氣矣。金匱要略云。嘔而腸鳴心下痞者。半夏瀉心湯主之。宜併考。按此自上結胸數章。分合提束來。互見其義。至此更爲後段論痞及痞鞕之根基。

太陽少陽併病。而反下之。成結胸。心下鞕下利不止。水漿不下。其人心煩。

太陽少陽併病。愼不可下。下之。而反下之。熱入因下利止。成結胸。心下鞕。下利不止者。不能成結胸。胃氣傷。毒氣逆格塞咽喉。乃致水漿不下。其人心煩。此復言下後結胸痞之病機也。心煩下恐有脱文。

脉浮而緊。而復下之。緊反入裏則作痞。此章無發汗下之言。突然曰。復下之者。似無謂矣。玉函。復作反。是也。今從之。按之自濡。但氣痞耳。方有執曰。濡與軟同。古字通用。濡言不鞕不痛而柔軟也。

脉浮而緊者。輕指直得之。此病在表。而反下之。緊反入裏者。緊脉沉而入裏部。乃按之得緊也。因誤下。雖裏虚邪氣乘内陷。浮脉仍浮而但緊入裏。不沉緊者。邪熱不結實於裏。便作痞。心下按之自濡。

但虛氣痞塞耳。其如此者。亦宜無認以爲痞鞕矣。

此承前章。且爲後章心下痞按之濡。先補出之也。

以上二章。疑非仲景氏之舊論。

太陽中風。即發熱。汗出。惡風者。下利嘔逆。表解者。乃可攻之。其人漐漐汗出。發作有時。熱與水氣相搏。則毒氣逆汗出。相離則退休。故發作有時。頭痛。頭痛者。太陽病中一證。而更舉之者。此欲示因水飲毒氣上衝發也。此即與吳茱萸湯證。乾嘔吐涎沫。頭痛同。心下痞鞕滿引脇下痛。水氣結聚於心下。而痛及于脇下也。乾嘔短氣。汗出不惡寒者。乾嘔者。嘔逆之餘證。汗出。不上文漐漐汗言也。所以重言汗出者。蓋太陽中風。以汗出爲的證故也。中風惡風。然曰不惡寒者。惡風者。是惡寒之變證也。故舉其本體。曰不惡寒。是故論中無云不惡風者矣。此表解裏未和也。以上諸證。而苟惡寒者。表未解也。不可攻之。今不惡寒者。表已解。裏未和之所致也。故更端曰。其人表邪入裏而解。裏亦因下利嘔逆。其毒除者。亦當自和。此水熱相搏不除。故曰此表解裏未和也。　十棗湯主之方

芫花熬　甘遂　大戟

右三味等分。各別擣爲散。以水一升半。先煮大棗肥者十枚。取八合。去滓內藥末。强人服一錢匕。羸人服半錢。溫服之。平旦服。芫花甘遂大戟。煮則其功劣。故爲末。先煮大棗。去滓。臨服內之也。三味。氣味辛苦蕟烈。單散服之。則戟咽喉。故以棗湯調和其味。溫服緩急安正也。葶藶大棗瀉肺湯。皀莢丸。以棗膏和湯服。並其意同矣。平旦。黎明也。平旦服者。但舉其例耳。　若下少病不除者。明日更服。加半錢。得快下利後。雖下利後。水氣結聚。乃不得快利。不除也。金匱要略云。病者脈伏。其人欲自利。利反快。雖利心下續堅滿。此爲留飲欲去故也。甘遂半夏湯主

之。是與此相類。糜粥自養。方有執曰。糜粥。取糜爛過熟。易化而有能補之意。齊按。此湯逐下水氣之要藥。宜審察病輕重虛實以投之。慎勿過劑矣。淮南子繆稱訓云。大戟去水。亭歷愈脹。用之不節。乃反為病。此之謂也。

此自中篇中風發熱六七日。不解而煩。有表裏證渴欲飲水。水入則吐。來且承前章爲結胸爲痞。而論之也。言太陽中風。邪氣微緩。而下利嘔逆者。是其人固有水氣。今爲風熱激動汎濫故也。此當攻下之。然表不解而攻之。則雖微邪。其變逆難測。須待表解乃可攻之也。所謂太陽病二三日。不能臥但欲起。心下必結。脈微弱者。此本有寒分之類。其人漐漐汗出發作有時頭痛心下痞鞕滿引脇下痛乾嘔短氣汗出不惡寒者邪熱入裏與水氣相搏毒氣逆迫之所致此表解裏未和也而本此中風微邪且下利嘔逆乃不至結胸熱實因十棗湯主之以專攻下水氣則諸證隨治矣金匱要略以此湯治病懸飲者咳家其脈弦爲有水支飲家咳煩胸中痛者宜參考又按論太陽中風者凡五章婦人中風二章蓋太陽中風陽浮而陰弱章乃承太陽病發熱汗出惡風脈緩者名爲中風而詳其脈證以定治方太陽中風脈浮緊章乃承太陽中

風陽浮而陰弱章而論其脈證變劇者中風發熱六七日章乃承太陽中風脈浮緊不汗出而煩躁而謂發熱六七日不解而煩者今此章承中風發熱章水入則吐爲水逆而論邪熱動水氣下利嘔逆者是連續病理以極其變態也而分篇隔章擧之者以有所更承接故也唯婦人中風者兼經水之變故異其所屬矣太陽病及傷寒亦次序皆如斯也宜審按明辨以知其機變

太陽病醫發汗遂發熱惡寒因復下之心下痞表裏俱虛陰陽氣並竭無陽則陰獨此既云陰陽氣並竭而又云無陽則陰獨

者。蓋上陰陽者。並以氣言。竭者。亡脫甚之謂也。下無陽者。謂無衞護外之陽。陰獨者。謂形體陰寒獨存也。

復加燒鍼。因胸煩。面色青黃。膚瞤者。難治。今色微黃。手足溫者。易愈。面色青黃。血液凝滯。爲火熱被熏升也。膚瞤。肉瞤之義也。

此章亦主心下痞論者也。言太陽病。醫發汗。不得其宜。徒亡表陽。而邪氣不除。遂發熱惡寒。因誤復下之。虛裏陰。表邪乘虛入裏。乃致心下痞。表裏俱虛。陰陽氣並竭。無陽則血液亦凝滯。陰寒獨存。乃欲卻其陰寒。而復加燒鍼。更亡陽。火熱熏陰。寒毒氣逆上。因胸煩。面色青黃。膚瞤者。此陰陽大虛。而邪氣存。故爲難治。今色微黃。手足溫者。亡陽不甚。

毒逆亦微也。故爲易愈。疑非仲景氏之舊論。

心下痞。按之濡。其脈關上浮者。錢潢曰。心下者。心之下。中脘之上。胃之上脘也。胃居心之下。故曰心下也。其脈關上浮者。浮爲陽邪。浮主在上。關爲中焦。寸爲上焦。因邪在中焦。故關上浮也。按之濡。乃無形之邪熱也。熱無形。然非苦寒以泄之。不能去也。故以此湯主之。惟忠曰。痞較之痞鞕。則頗緩矣。故按之不鞕而濡。不見其痞。惟其人自覺耳。關上浮者。豈可必乎。亦惟與小陷胸湯曰浮滑略同。謂其證之緩也。大黃黃連瀉心湯主之。方

大黃二兩　黃連一兩

右二味。以麻沸湯二升漬之。須臾絞去滓。分溫再服。臣億等看詳大黃黃連瀉心湯。諸本皆二味。又後附子瀉心湯。用大黃黃連黃芩附子。恐是前方中亦有黃芩。後但加附子也。故後云附子瀉心湯。本云加附子也。濟按此爲別于瀉心湯。名大黃黃連瀉心湯也。

若此湯有黃芩，即瀉心湯也。以何別之乎。原注難從。麻沸湯，謂沸時泛沫如麻子也。如魚目沸、蟹目沸。凡治心下痞者，若藥汁重濁，其氣鈍，則必泥於心下，其功不速，反益痞。故以麻沸湯漬之，須臾絞去滓服也。

此章單曰心下痞，按之濡者，直承接前太陽中風下利嘔逆章下云，心下痞鞕滿，而舉其易證互明其治方也。蓋心下痞，按之濡，其脈關上浮者，知病在心下而微，是下利嘔逆，乃水氣除，但中風之微邪入裏，結於心下，而阻塞升降氣也。因大黃黃連瀉心湯主之，以瀉下微結鬱熱矣。所謂但氣痞耳。

心下痞，而復惡寒，汗出者。復惡寒，謂再見惡寒也。此言前汗出、不惡寒者，變復惡寒汗出者也。蓋汗出惡寒者，表未解也。乃雖汗出，不惡寒者，表已解也。今心下痞，而復惡寒，汗出者，此

非表不解之故。是故主心下痞。用而復二字以別之矣。附子瀉心湯主之方

大黃二兩　黃連一兩　黃芩一兩　附子二枚，炮，去皮，破，別煑取汁。玉函作一枚。按附子性質堅實。不煑則氣味不出。故別煑取汁也。不言水率者。多少隨意量也。

右四味。切三味。以麻沸湯二升漬之。須臾絞去滓。內附子汁。分溫再服。切、玉函作吹咀二字。

此接前章痞而更明復惡寒汗出者之治方也。言因下利嘔逆。裏虛中風微邪入裏致痞。而內尚有停水。逆襲心家。氣內鬱而不及表。其痞益甚。熱蒸津液。乃腠理疎開。而復惡寒汗出也。此惟與瀉心湯。則停水不除。停水不除。則惡寒汗出不罷。痞亦

不解。故伍附子。以溫散水氣矣。惡寒汗出。冷汗也。又按前章。以但心下痞熱。故主大黃。此心下痞。而有停水。因以惡寒汗出爲急。故主附子。程應旄曰。傷寒大下後。復發汗。心下痞。惡寒者。表未解也。不可攻痞。當先解表。表解乃可攻痞。解表宜桂枝湯。攻痞宜大黃黃連瀉心湯。與此條宜參看。彼條何以主桂枝解表。此條何以主附子回陽。緣彼條發汗汗未出。而原來之惡寒不罷。故屬之表。此條汗已出。惡寒已罷。而復惡寒汗出。故屬之虛。凡看論中文字。須於異同處。細細參攷。互勘方。得立法處方之意耳。此說得矣。

本以下之。故心下痞。此言前太陽中風、下利嘔逆、表未解、而下之也。與瀉心湯。痞不解。瀉心湯、即金匱要略所載之瀉心湯也。其人渴而口燥煩。小便不利者。五苓散主之。傷寒論輯義云、按口燥煩之煩、諸家不解、特魏氏及金鑑云、渴而口燥、心煩、然則煩字當是一字句。一方云。忍之一日乃愈。言忍渴不飲水一日、外水不入、既內所停之水、得行乃愈。此後人之補語。

此承太陽中風及前章、而更論下後邪熱及下焦水氣湊於心下。而痞之一證治也。故單曰本以下之。故心下痞也。言太陽中風下利嘔逆表解者。乃可攻之也。而今以表未解者。攻下之。故表邪不解。

水氣亦不盡除遂逆湊於心下見痞證此非邪熱鬱於心下之痞也故與瀉心湯下之則痞不解而其人渴而口燥煩小便不利者邪熱及下焦阻水道水氣更逆之所致因五苓散主之汗出小便利則邪熱散水氣除痞從而解矣此自十棗湯欲復及五苓散示彼是水逆之治而終太陽中風之變證治法焉

傷寒汗出解之後胃中不和心下痞鞕乾噫食臭脇下有水氣腹中雷鳴下利者方有執曰解謂大邪退散也痞鞕伏飲搏膈也噫飽食息也食臭餲氣也平人過飽傷食則噫食臭病人初差脾胃尚弱化輸未強雖無過飽猶之過飽

而然也。水氣亦謂飲也。雷鳴者。腹胃不和。薄動之聲也。下利者。水穀不分清。所以雜遝而走注也。傷寒論輯義云。按乾噫之乾。諸家無注義。程氏解乾嘔云。乾。空也。此原鄭玄注禮記。正與此同義。噫有吐出酸苦水者。今無之。故曰乾噫。

生薑瀉心湯主之方

生薑四兩切　甘草三兩炙　人參三兩　乾薑一兩　黃芩三兩

半夏半升洗　黃連一兩　大棗十二枚擘

右八味。以水一斗。煑取六升。去滓再煎取三升。溫服一升。日三服。附子瀉心湯。本云。加附子。半夏瀉心湯。甘草瀉心湯。同體別名耳。生薑瀉心湯。本云理中人參黃芩湯。去桂枝朮。加黃連。幷瀉肝法。附子瀉心湯以下。此後人之補語。玉函無之。是此章曰傷寒汗出解之後者。卽承傷寒五六日嘔而發熱者。柴胡湯證具。而以他藥下之。柴胡證仍在者。復與柴胡湯。必蒸蒸而振。卻發熱汗出而解者也。故以胃中不和。爲主意焉。言雖邪氣解之後。以已下之。復蒸蒸發熱汗出。故內氣虛損。而胃中不和。因飲食化輸不速。而釀停飲痰濁。氣液不宣通。逆鬱結於心下。乃致心下痞鞕。乾噫食臭。脇下有水氣。而胃氣又不能制水。下流腸間。腹中雷鳴。下利。因生薑瀉心湯主之。以散停飲痰濁。解心下鬱結。則胃中和。氣液行而愈矣。又彼章曰。但滿而不痛者。此爲痞。柴胡不中與之。宜半夏瀉心湯。今此方即於半夏瀉心湯方內。減乾薑二兩。加生薑四兩耳。宜參考以知其意矣。

傷寒中風。中篇所謂傷寒五六日中風。醫反下之。其人下利日數十行。穀不化。腹中雷鳴。數十行。言多也。穀不化。謂食穀不消化也。此胃氣暴虛之所致。與下利清穀之裏寒甚者自異矣。穀猶可化而不化也。下利清穀者。澄徹清冷。不俟言化不化也。心下痞鞕而滿。乾嘔心煩不得安。心煩甚故也。醫見心下痞。痞鞕滿略言。謂病不盡。復下之。其痞益甚。此非結熱。但以胃中虛。客氣上逆。故使鞕也。病不盡。病毒不除盡之謂。惟忠曰。結熱。謂熱結於裏也。客氣者。蓋謂有所激觸而發爲之氣也。非邪氣之謂也。故曰客以別之也。甘草瀉

心湯主之方

甘草四兩炙　黃芩三兩　乾薑三兩　半夏半升洗　大棗十二枚擘

黃連一兩

右六味以水一斗煮取六升去滓再煎取三升溫服一升日三服臣億等謹按上生薑瀉心湯法本云理中人參黃芩湯今詳瀉心以療痞痞氣因發陰而生是半夏生薑甘草瀉心三方皆本於理中也其方必各有人參今甘草瀉心中無者脫落之也又按千金幷外臺秘要治傷寒䘌食用此方皆有人參知脫落無疑

此章申明傷寒中風誤下胃中暴虛之證治也言傷寒中風熱氣不結實尚可能達於表而邪氣不甚急而醫反下之傷虛胃氣邪氣內陷外無發熱

之機。內失守。其人忽致下利日數十行。穀不化。腹中雷鳴。心下痞鞕而滿。乾嘔心煩不得安之逆變。醫見心下痞。謂病不盡。復下之。胃氣更虛。升降隔絕。其痞益甚。審此病因。此非結熱。但以胃中虛。客氣上逆。故使鞕也。便甘草瀉心湯主之。按前章胃中不和。乾噫食臭。故主生薑。此章胃中虛。客氣上逆。故主甘草。以專緩急調胃氣矣。又半夏瀉心湯曰。但滿而不痛者。此爲痞。不言其餘證。生薑瀉心甘草瀉心。詳其證候者。是互發其義也。又按今復冒首傷寒中風者。是蓋自傷寒五六日中風說來。

以終傷寒邪氣不甚急中風緩證之數章焉。

傷寒服湯藥下利不止。湯藥者。汎斥治下利之湯藥。言傷寒邪氣直犯裏而下利。服湯藥不止也。注家為服下藥之湯。利不止者。非也。若其說。則當曰以湯藥下之。下利不止也。心下痞鞕服瀉心湯已。復以他藥下之。利不止。他藥者。汎斥下藥也。對瀉心湯。曰他藥也。醫以理中與之。利益甚。理中者。理中焦。此利在下焦。赤石脂禹餘糧湯主之。復不止者。當利其小便。理猶治。理中者。卽人參湯也。

赤石脂禹餘糧湯方

赤石脂一斤碎　太一禹餘糧一斤碎。玉函。無太一二字。

右二味。以水六升。煮取二升。去滓。分溫三服。

此章更論傷寒下利。心下痞鞕之邪氣陷於下

焦利不止者之治方也。言傷寒下利服湯藥不止

邪氣鬱結於心下。致痞鞕因服瀉心湯已。未見其

全效復以他藥下之。裏虛邪陷於下焦。水血瘀滯

而利不止。醫又爲寒邪聚於中焦而利不止者。與

理中湯。則邪彌下於下焦。利益甚所以然者。理中

者理中焦。此利在下焦也。因赤石脂禹餘糧湯主

之以除下焦之瘀毒則下利止。服之瘀毒除而復

不止者是邪在下焦。利久不止。乃膀胱氣不和。水

復湊而偏滲腸間故也。當利其小便。此屬豬苓湯

證。論曰。少陰病。下利六七日。咳而嘔渴。心煩不得

眠者。豬苓湯主之。可以證矣。又宜參看桃花湯證。

傷寒。吐下後。發汗。虛煩。脈甚微。八九日。心下痞鞕。脇下痛。氣上衝咽喉。眩冒。經脈動惕者。久而成痿。眩冒、眩暈鬱冒也。經脈動惕、謂經脈如有怯怖而動也。張揖曰、痿不能行。張思聰曰、痿者、如痿棄而不爲我用之意。

此章言傷寒。邪氣既犯裏。見可吐下之證。吐下之。雖其證除。裏爲之虛。而餘邪尚在於裏。然發汗。因復亡表陽。乃致虛煩。脈甚微。迨至八九日。餘邪逆迫。結於心下。及脇下。乃作心下痞鞕。脇下痛。氣上衝咽喉。眩冒。經脈動惕之變。是既表裏俱虛。今又爲邪逆阻升降之氣。精血不行於四末。因不速治

之則毒氣犯骨髓久而成痿也此自中篇傷寒若
吐若下後心下逆滿氣上衝胸起則頭眩脈沉緊
發汗則動經身爲振振搖來而更明其病甚至肢
體痿廢者也而不屬彼擧於此者此主心下痞鞕
也按魏氏曰此條證仍用茯苓桂枝白朮甘草湯
或加附子倍加桂枝爲對也汪氏引補亡論云可
茯苓甘草白朮乾薑湯郭白雲云當作茯苓桂枝
白朮甘草湯成痿者振痿湯正珍曰此證其未成
痿者眞武湯主之至其久而成痿則爲難治矣諸
說並依夫傷寒若吐若下章之證治而定之治方

然此章所論之脈證。比彼則病甚。且有心下痞鞕之異。觀之則諸說似未允當。張恩聰傷寒宗印云。本經多有立論而無方者。有借醫之汗下而爲說辭者。多意在言外。讀論者。當活潑潑看去。若著於眼。便爲糟粕。如補立方劑。何異懸瘤。此言得矣。

傷寒發汗若吐若下解後。心下痞鞕噫氣不除者。方有執曰。心下痞鞕。噫氣不除者。正氣未復。胃尚弱。而伏飲爲逆也。濟按。辨脈云。脾氣不治。大便鞕。氣噫而除。此曰。噫氣不除者。謂胃氣鬱閉甚。乃氣噫而不除也。旋復代赭湯主之。方

旋復花三兩　人參二兩　生薑五兩　代赭一兩　甘草三兩炙

半夏半升洗　大棗十二枚擘

右七味。以水一斗。煮取六升。去滓。再煎取三升。溫服一升。日三服。玉函復並作覆赭下並有石字傷寒類方云靈樞口問篇云寒氣客於胃厥逆從下上散復出於胃故爲噫俗名噯氣皆陰陽不和於中之故此乃病已向愈中有留邪在於心胃之間與前諸瀉心法大約相近本草云旋復治結氣脅下滿代赭治腹中邪毒氣加此二物以治噫氣

此承前章傷寒汗出解之後。胃中不和。心下痞鞕。乾噫食臭。而論之也。言傷寒發汗。若吐若下解後。胃氣虛弱。飲食不速化輸。濁氣上逆。結於心下。乃致心下痞鞕。噫氣不除。因旋復代赭湯主之。以除水穀瘀濁。降逆氣矣。按生薑瀉心湯證。乾噫食臭。下利。而心胸煩熱。故主生薑。而更用乾薑黃芩黃

連。此湯證噫氣不除。故主旋復花。而用生薑五兩。代赭一兩。不用乾薑黃芩黃連者。不下利煩熱也。古人用藥之多寡。主兼之幽妙精微至哉矣。

下後。不可更行桂枝湯。若汗出而喘。無大熱者。程應旄曰。下在用桂枝後是從更字上看出。麻黃杏子甘草石膏湯主之方

麻黃四兩　杏仁五十箇去皮尖　甘草二兩炙　石膏半斤碎綿裹

右四味。以水七升。先煑麻黃。減二升。去白沫。內諸藥。煑取三升。去滓。溫服一升。本云黃耳杯。

按中篇云。發汗後。不可更行桂枝湯。汗出而喘。無大熱者。可與麻黃杏仁甘草石膏湯。此章所論。下

後。故曰。若。蓋汗下雖殊。其證既同。遂用一法治之。論所謂若發汗若下。若吐後者是也。此章與此段前後。意不相接續。恐錯簡。

太陽病。外證未除。而數下之。遂協熱而利。利下不止。心下痞鞕。表裏不解者。玉函。協作挾。桂枝人參湯主之。方

桂枝四兩別切。玉函別切作去皮。　甘草四兩炙　白朮三兩

人參三兩　乾薑三兩

右五味。以水九升。先煮四味。取五升。玉函。有去滓二字。內桂。更煮取三升。去滓。溫服一升。日再夜一服。傷寒類方云。桂獨後煮。欲其於治裏證藥中。越出於表。以散其邪也。

此承前太陽病二三日。不能臥但欲起章而明協熱利之治方也。蓋曰外證未除者。以既有內證言也。即前章所謂本有寒分之意。數下之。即所謂四日復下之義。遂協熱而利。利下不止。心下痞鞕者。是外證未除。而數下之。乃內虛外邪及於裏熱氣與固有之寒水協合而利。毒氣逆迫心下而阻升降氣也。既云外證未除。復曰表裏不解者。欲示水熱隨利下。應除。而外尚有表發之證。內亦有寒水之裏證。而俱不解也。而彼之所論。主結胸。故其說不及協熱利之痞鞕。此乃就上章太陽中風。下利嘔逆。表解者。乃可攻之。以論外證未除。而數下之。協熱利之痞鞕。故次之於此。以互見藥方病因之情狀。其所主各異也。是故又照之于本以下之。故心下痞。與瀉心湯。痞不解。其人渴而口燥煩。小便不利者。五苓散主之。而此乃主協熱下利。心下痞鞕。因桂枝人參湯主之。以解表邪。散裏寒。緩急則熱消。下利亦從止矣。

傷寒大下後。復發汗。心下痞。惡寒者。表未解也。不可攻痞。按傷寒者。必惡寒。故傷寒章下。無言惡寒者。而此章獨言惡寒者。是以對裏熱。故以惡寒爲表未解之目的也。錢潢曰。心下已痞。而仍惡寒者。猶有表邪未解也。前條。同是痞證。而惡寒。以附子瀉心者。

因惡寒汗出，所以知其爲陽虛之惡寒也。此當先解則惡寒而不汗出，是以知其爲表未解也。表。表解乃可攻痞。解表宜桂枝湯，攻痞宜大黄黄連瀉心湯。方有執曰：傷寒病，初之表當發，故用麻黄湯。此以汗後之表當解，故曰宜桂枝湯。

此承傷寒吐下後發汗章及前章表裏雙解之義，而論傷寒大下後復發汗，心下痞惡寒者，乃詳桂枝瀉心之治法先後也。心下痞惡寒者，似附子瀉心湯證，而彼已專於裏者也。此大下後復發汗表邪不除及裏，而心下痞。若邪盡入於裏者，當但熱不惡寒，而惡寒者，表未解也。不可攻痞，當先解表。表解乃可攻痞。若誤先攻下痞，則以既大下，故重裏虛邪氣乘內陷其逆變必至危篤矣是所以審治方之先後令後學勿誤者也因又顧太陽中風下利嘔逆表解者乃可攻之而彼此辨知以一收心下痞及痞鞕之數章焉

傷寒發熱汗出不解心中痞鞕嘔吐而下利者蓋曰胸中痞鞕則其所斥廣今欲言邪不滿於胸中故曰心中非謂心藏中也心中痞鞕故主嘔吐而下利次之大柴胡湯主之

此章特舉發熱者蓋主意焉此亦依傷寒五六日嘔而發熱章云與柴胡湯必蒸蒸而振卻發熱汗出而解言其不解而病進者也乃對前章傷寒汗

出解後之證而彼所主在胃中不和故生薑瀉心湯主之此發熱汗出不解心中痞鞕嘔吐而下利仍大柴胡湯主之即所謂先與小柴胡嘔不止心下急鬱鬱微煩者爲未解也與大柴胡湯下之則愈之類按金鑑云下利之下字當是不字若是下字豈有上吐下利而以大柴胡湯下之之理乎又正珍曰若改作不利則與小便何別當作不下利此並不辨寒熱虛實之臆說不可從何則今此嘔吐而下利者是邪熱從心胸及腸胃與水穀宿滯相搏欲下泄而難通之所致乃屬實固非虛寒下

利嘔吐也。見下以發熱不解起證上可以知矣。因以下治之也。是故仲景氏之論熱利也。有治方及大小承氣者。可謂失考矣。

病如桂枝證。（發熱汗出惡風言也。）頭不痛。項不強。寸脈微浮。（因胸有寒。氣上衝也。）胸中痞鞕。氣上衝喉咽。不得息者。此爲胸有寒也。當吐之。（胸中痞鞕者。毒氣實於胸中也。寒者。謂寒飲痰濁也。蓋病如桂枝證者。有嫌寒邪在外之所致。故斷曰此爲胸有寒也。）宜瓜蔕散方

瓜蔕（一分熬黃）　赤小豆（一分。玉函作各六銖。）

右二味。各別擣篩爲散已。合治之。取一錢匕。以香豉一合。用熱湯七合。煮作稀糜。（言以湯七合煮香豉如糜粥之爛也。）去滓。

取汁和散。溫頓服之。不吐者。少少加。得快吐乃止。諸亡血虛家。不可與瓜蔕散。金鑑云、胸中者、清陽之府、諸邪入胸府、阻遏陽氣、不得宣達、以致胸滿痞鞕、熱氣上衝、燥渴心煩、嗢嗢欲吐、脈數促者、此熱鬱結也、胸滿痞鞕、氣上衝咽喉、不得息、手足寒冷、欲吐不能吐、脈遲緊者、此寒鬱結也、凡胸中寒熱與氣與飲鬱結爲病、諒非汗下之法所能治、必得酸苦湧泄之品、因而越之、上焦得通、陽氣得復、痞鞕可消、胸中可和也、瓜蔕極苦、赤豆味酸、相須相益、能疎胸中實邪、爲吐劑中第一品也、而佐香豉汁合服者、藉穀氣以保胃氣也、服之不吐、少少加服、得快吐即止者、恐傷胸中元氣也、此方奏功之捷、勝於汗下、所謂汗吐下三大法也、今人不知仲景、子和之精義、置之不用、可勝惜哉、然諸亡血虛家、胸中氣液已虧、不可輕與、特爲申禁、

此承前章。心中痞鞕而論胸中痞鞕也。言雖病如桂枝證。而頭不痛。項不强。但寸脈微浮。胸中痞鞕。

氣上衝喉咽不得息者。此胸有寒。膈氣爲之鬱閉。毒氣衝逆劇之所致也。因不吐即死。若幸免亦引日不愈。更加虛證。則吐亦不及。遂必死。故明其病因。示治方曰。此爲胸有寒也。當吐之。宜瓜蒂散。是素問所謂。高者因而越之之法也。又按心中痞鞕。胸中痞鞕。似按之不可知。然就其所見之嘔吐。及氣上衝喉咽不能息之外候。沉思探索。乃可得而知矣。此欲諭病毒之所在。及緩急而言之也。實關治術之玄機也。

病脇下素有痞。連在臍傍。痛引少腹。入陰筋者。此名藏結死。玉函。陰筋上。有陰俠二字。陰筋者。謂從少腹入陰囊之大筋也。

此章言病人平素脇下有痞。連在臍傍。今新觸寒冷。其毒動而痛引少腹。入陰筋者。此發起沉痾痼毒在藏者。乃藏氣爲之締結。而不通。危急莫甚。此矣。故名藏結。必死。按藏結大類寒疝。寒疝者。平素寒冷痃水。在少腹及陰囊。發則遶臍痛。若腹中及脇下痛。若衝逆甚而陰縮。是爲異耳。以上三章自前段屬敘來。而更明其痞痞輒所在之異者也。

傷寒若吐若下後。七八日不解。單曰不解者。係表裏言也。熱結在裏。是此章之主意。表裏俱熱。既云熱結在裏。而復曰表裏俱熱者。欲示裏熱太甚。其氣騰達

於外而表亦熱也乃四字虛提時時惡風微邪尚在於外也與上不解應大渴舌上

乾燥而煩欲飲水數升者見大渴貪飲之情狀也白虎加人參

湯主之方

知母六兩　石膏一斤碎　甘草二兩炙　人參二兩上篇作三兩是

粳米六合

右五味以水一斗煑米熟湯成去滓溫服一升日三

服此方立夏後立秋前乃可服立秋後不可服正月

二月三月尚凜冷亦不可與服之與之則嘔利而腹

痛諸亡血虛家亦不可與得之則腹痛利者但可溫

之當愈立夏四月節立秋七月節按此方以下恐此後人之所添內臺方儀問曰活人書云白虎

湯。惟夏至發可用何邪。答曰。非也。古人一方對一證。若嚴冬之時。果有白虎湯證。安得不用石膏。盛夏之時。果有眞武湯證。安得不用附子。若老人可下。豈得不用消黃。壯人可溫。豈得不用薑附。此乃合用者必需之。若是不合用者。强而用之。不問四時。皆能爲害也。

此承前章傷寒發熱汗出不解。而論若吐若下後。七八日不解者。因又與傷寒十餘日。熱結在裏之章照應。故以熱結在裏主焉。而前二章熱結在裏。而邪氣稍入胃。往來寒熱。及心中痞鞕嘔吐而下利。故俱與大柴胡湯以治。今此所論。在熱結在裏。而邪氣未入胃。致大渴。言傷寒有吐下之證。因若吐之若下之。其證除後。歷七八日。邪氣不解。熱結在裏表裏俱熱時時惡風大渴舌上乾燥而煩欲飲水數升者雖微邪尚在外已吐若下而裏虛熱結在裏乃氣液不得宣通聚於心下痞鞕熱氣加散漫欲表發而不能發熏灼胸膈而引津甚胃液燥竭之所致仍白虎加人參湯主之以解結熱潤燥則氣液行邪熱表達汗出而愈矣

傷寒無大熱口燥渴心煩背微惡寒者白虎加人參湯主之

此接前章熱結在裏表裏俱熱而更明無大熱背微惡寒之一異證也蓋雖曰無大熱見口燥渴心

煩則非無熱。此熱結伏於心下。而不顯於表也。可知矣。背微惡寒。與時時惡風同。微邪在外也。但彼表裏俱熱。故惡風。此無大熱。故惡寒也。爲之異耳。而熱結在裏一也。今雖有時時惡風。背微惡寒之外證。此熱結在裏。而未入胃。尚欲能達於表。而不能達。熏灼胸膈。胃液燥竭也。仍亦得白虎加人參湯。熱結解散。則忽表達。外邪亦隨去矣。乃與承氣下藥。當須邪熱實於胃。表證罷。而與之逈殊。

傷寒脈浮。發熱無汗。其表不解。玉函有者字。此既有裏熱。故曰其表不解。謂邪氣尚專於表也。蓋曰其表不解。及表證者。謂表發可得而見之諸證也。而以惡寒爲寒邪在於外不解之的候。然而不言惡寒者。凡傷寒。邪熱不實於裏者。必惡寒故也。不可與白虎湯。此爲起下白虎加人參湯證。先例曰。不可與白虎湯也。渴欲飲水。無表證者。方有執曰。無表證。謂惡寒。頭身疼痛皆除。白虎加人參湯主之。

按前二章。言雖時時惡風背微惡寒。既至表裏俱熱。大渴舌上乾燥而煩。欲飲水數升。及無大熱。口燥渴心煩。是熱結盛於裏。而微邪在外也。因不及顧慮時時惡風背微惡寒。直就裏熱施治可矣。今此傷寒脈浮發熱無汗者。邪氣專在於外。而表鬱甚之所致。乃非時時惡風背微惡寒之比。故曰其表不解。因雖有裏熱之證。不可與白虎湯。猶宜發汗以解外。渴欲飲水。無表證者。外邪除。熱結盛於裏。而胃液燥竭也。乃白虎加人參湯主之。是恐人或見時時惡風。背微惡寒。用此湯。又誤與邪氣專在於外。而不解。兼裏熱者。故及此論。又閱仲景氏用白虎加人參湯凡六章。一曰服桂枝湯大汗出後。大煩渴不解。脉洪大。二曰傷寒若吐若下後七八日不解。熱結在裏。表裏俱熱。時時惡風。大渴舌上乾燥而煩。欲飲水數升。三曰傷寒無大熱。口燥渴心煩。背微惡寒。四曰渴欲飲水。無表證。五曰若渴欲飲水。口乾舌燥。六曰太陽中熱者。暍是也。汗

出惡寒身熱而渴按第一第五章所論者是大汗
出及下後津液乾燥甚故其渴甚第二章者若吐
若下後七八日不解熱氣加津燥極甚故其渴極
甚三四章者不經汗吐下故津燥不甚故渴不甚
六章者雖汗出非發汗大汗出故亦渴不甚且其
餘外候亦各異也而其方法同者何蓋此湯之所
主治惟在解熱結在裏煩心下痞鞕而不拘渴之
微甚及外候故也又白虎湯證曰傷寒脈浮滑此
以表有熱裏有熱三陽合病腹滿身重難以轉測
口不仁面垢讝語遺尿發汗則讝語下之則額上

生汗手足逆冷若自汗出者傷寒脈滑而厥者裏有熱也白虎加桂枝湯證曰溫瘧者其脈如平身無寒但熱骨節疼煩時嘔按此亦非不全渴不必渴故不言渴也但夫熱結在裏乃氣液不得宣通聚於心下痞鞕熱氣熏灼胸膈胃液燥竭者其渴必發矣今此不心下痞鞕故其渴不必發矣故不加人參也或問曰白虎湯不言渴其餘伍石膏方曰渴者止一二而白虎加人參湯並有渴證則人參治渴也明矣然吾子曰不拘渴者何也答曰蓋渴者雖爲一病證然元是氣液爲毒壅不能化輸

津燥水道不通者之外候而非可直就治之正證
故若心下痞鞕氣液不行而渴者人參之所主治
若邪熱在於胸腹而煩渴者石膏主治之若氣液
不化輸有停水而渴者猪苓澤瀉朮茯苓防己瞿
麥等所治若津液爲熱乾燥而渴者栝樓根滑石
知母麥門冬治之血液凝滯而渴者地黄阿膠治
之邪熱實於胃而渴者大黄芒消治之蓋人參者
有解心下痞鞕行氣液之能故與之痞鞕解氣液
行則渴隨而止矣是故於伍人參方言心下痞鞕
者多言渴者少且論曰寒多不用水者理中丸主

之。是人參之功用。在于痞鞕。不在渴之徵。石膏能
治邪熱在胸腹煩者。故服之邪熱解散。則渴止矣。
是故於伍石膏方。言熱者極多。言渴者至少。而但
於利水劑。言渴者最多。因知渴者。是氣液爲毒壅。
不能化輸。津燥水道不通者之外候。人參之功用。
不在渴。惟除令渴之毒壅。則渴隨止也。故發汗病
解後津燥。夏月自汗出渴者。與水津復則止矣。非
止渴然。凡外候之證。亦皆然矣。豈有惟隨外證候。
施治之理哉。宜審其病源也。曰然則宜詳諭其內
證。而專論外證候者何也。曰凡病候法。悉在于外。

故病毒之在於外者則易診得至其在於腹內者則極難察知矣又不易諭矣是故專論外證候令以彼是相照應以知內證也扁鵲傳云聞病之陽論得其陰聞病之陰論得其陽病應見於大表此之謂也嗟呼醫之爲術也方意非易得而診病之難如此若差之毫釐失之千里不可不審察也

太陽少陽併病心下鞕頸項强而眩者當刺大推肺俞肝俞愼勿下之（玉函太陽下有與字大推下有一間二字）

前章曰太陽與少陽併病愼不可發汗乃更言愼勿下之只彼以戒發汗故先舉頭項强痛此爲禁

下。先言心下鞕之異耳。此爲次章太陽與少陽合病補出併病刺法也。

太陽與少陽合病。太陽少陽二病證合發。故曰合病。蓋太陽者。頭項强痛。而惡寒。少陽者。口苦咽乾。目眩。而非其證悉具。謂一二兼見也。自下利者。與黄芩湯。若嘔者。黄芩加半夏生薑湯主之。

黄芩湯方

黄芩三兩　芍藥二兩　甘草二兩炙　大棗十二枚擘

右四味。以水一斗。煮取三升。去滓。温服一升。日再夜一服。

黄芩加半夏生薑湯方

黃芩三兩　芍藥二兩　甘草炙二兩　大棗十二枚擘　半夏洗半升

生薑一兩半。一方三兩切。成本作三兩。

右六味。以水一斗。煮取三升。去滓。溫服一升。日再夜一服。

此依中篇云。太陽與陽明合病者。必自下利。及不下利。但嘔者。而論太陽與少陽合病。自下利者。若嘔者。以辨治方也。蓋太陽陽明合病者。雖陽明裏熱。不得泄於外。直迫胃府。必自下利。以熱氣盛。故太陽邪氣。仍在於表。不進。因發汗以解于外。則裏熱亦從泄。下利便止矣。太陽少陽合病者。雖太陽陽氣盛。以兼少陽。陽氣衰少。故熱氣不能表達。乃邪氣進鬱於胸腹。遂迫胃。而胃氣弱。水穀渣滓觸動。而自下利。故不曰必因。不可發汗。若誤發汗。則氣液更亡。熱氣加必至危篤矣。論曰。少陽不可發汗。發汗則讝語。惟與黃芩湯。和解裏熱。則下利亦隨止矣。若水穀逆而嘔者。加半夏生薑。以兼治嘔者。今邪熱在胸腹。而嘔者似小柴胡湯證。而此熱專於腹裏。而迫胃。因無胸脇苦滿。乃非柴胡之所宜。又類大柴胡湯證之嘔吐。而下利者。而彼邪熱專在於心胸。而下稍入胃。乃亦與此自異矣。然而次之於玆者。卽對前章熱結在裏熏灼胸膈。胃液燥大渴。而更欲明熱在胸腹。迫胃。自下利若嘔者。因及次章黃連湯證也。又按葛根湯。黃芩湯。俱非治下利之劑。蓋自下利者。與邪毒入腸胃內下利者自異。因發汗散表邪。和解裏熱。則自利自止矣。是故不拘下利與不下利。而用之。然晚世醫人。不察病之所在。以此二湯。爲惟治下利之藥者。非也。

傷寒胸中有熱。胃中有邪氣。此寒熱各別。其所在。故分言曰。胸中有熱。胃中有邪氣。若胸中熱入胃。腹中痛。欲嘔吐者。屬大柴胡湯證。故先審明之也。腹中痛欲嘔吐者。胃中有寒邪。故腹中痛。胸中有熱。故欲嘔吐。黃連湯主之。方

黃連三兩 甘草三兩炙 乾薑三兩 桂枝三兩去皮 人參二兩

半夏半升洗 大棗十二枚擘

右七味。以水一斗。煮取六升。去滓。溫服。晝三夜二。疑非仲景方。按此後人不諦病證。乃惟疑胃中有邪氣。而用桂枝。以爲非仲景方也。玉函。無疑以下五字。是傷寒類方云。卽半夏瀉心湯去黃芩。加桂枝。諸瀉心之法。皆治心胃之間。寒熱不調。全屬裏證。此方以黃芩易桂枝。去瀉心之名。而曰黃連湯。乃表邪尚有一分未盡。胃中邪氣尚當外達。故加桂枝一味。以和表裏。則意無不到矣。

此承前章自下利若嘔者。而論傷寒腹中痛欲嘔吐者。以互明治方也。又此與生薑瀉心湯。方證相類。但彼傷寒解後。胃中不和。此其人素有水飲瘀濁。因水寒相感邪。氣直徹於胃。毒氣上衝膈。氣痞塞而生熱。乃胸中有熱。胃中有邪氣。寒熱相激迫腹中痛欲嘔吐。因黃連湯主之。以散寒邪解痞熱。宜彼是參看。以得機用矣。又按以上五章。不言痞及痞鞕。然今以加人參。主黃芩黃連。見之則當有痞及痞鞕證。是故於白虎加人參湯。則曰熱結在裏。表裏俱熱。時時惡風。大渴舌上乾燥而煩。欲飲水數升。又曰無大熱。口燥渴心煩背微惡寒。又曰渴欲飲水。無表證。是皆熱結在裏。氣液不得宣通。聚於心下。痞鞕熱氣熏灼胸膈也。故加人參解痞鞕則氣液行而白虎之建效極捷也於黃芩湯則曰太陽與少陽合病自下利若嘔於黃連湯則曰胸中有熱胃中有邪氣腹中痛欲嘔吐是皆邪氣鬱於胸中升降氣不利之所致有痞證也不俟言可知矣而略之者令之知于藥能也蓋人參主治心下痞鞕黃芩黃連主治心下痞也本論中既有明徵焉宜按用人參黃芩黃連數章此乃論痞及痞鞕之餘波故置之於茲或問曰人參主治心下痞鞕則何大陷胸湯十棗湯心下鞕滿不用之邪答曰至與陷胸十棗之劇劑以攻下其毒則非人

參之所預。若大邪因下解。而痞鞕仍存。則宜用人參也。是所以續鞕滿而論痞鞕也。

傷寒八九日。風溼相摶。身體疼煩。不能自轉側。風者風證頭痛發熱汗出惡風也溼者感雨露霧昇溼氣也或飲食入胃化輸不速水氣不分利者亦能內釀溼毒非止外感也八九日為風證者與中篇所謂傷寒五六日中風同意不能自轉側得人之扶助則轉側也是因身體疼煩也此與中篇傷寒八九日下之胸滿煩驚小便不利譫語一身盡重不可轉側之裏有熱者不同不嘔不渴。風熱與溼水相摶者似前章傷寒胸中有熱胃中有邪氣然此風溼俱在於表故曰不嘔今八九日乃類前章傷寒若吐若下後七八日不解熱結在裏故曰不渴俱示裏無熱也脈浮虛而濇者。桂枝附子湯主之。若其人大便鞕。一云臍下心下鞕小便自利者。大便鞕小便自利者嫌胃家熱實故直指上曰其人去桂加白术湯主之。

桂枝附子湯方

桂枝四兩去皮　附子三枚炮去皮破　生薑三兩切　大棗十二枚擘

甘草二兩炙

右五味，以水六升，煮取二升，去滓，分溫三服。按此方與桂枝去芍藥加附子湯同，但分量異耳。桂枝去芍藥加附子湯者，桂枝去芍藥湯證而微惡寒，故加附子一枚，是仲景氏去加之。此方用桂枝四兩、附子三枚者，古方也，仲景氏乃擷摘之，以治此風溼相搏之證。病有淺深劇易，藥有多寡緩急，可見古人用意之詳也。又按不嘔不渴、脈浮虛而濇者，是用附子三枚之目的。

去桂加白术湯方　金匱白术附子湯即是，玉函名术附子湯。

附子三枚炮去皮破　白术四兩　生薑三兩切　甘草二兩炙

大棗十二枚擘

右五味，以水六升，煮取二升，去滓，分溫三服。初一服，其人身如痺，半日許復服之，三服都盡，其人如冒狀，勿怪。此以附子、朮併走皮內，逐水氣未得除，故使之耳。此所謂藥之瞑眩也。法當加桂四兩。此本一方二法，以大便鞕，小便自利，去桂也；以大便不鞕，小便不利，當加桂。附子三枚恐多也，虛弱家及產婦宜減服之。法當以下，此亦後人之所補。但虛弱家及產婦宜減服之者，或然矣。

前數章已明胸腹有熱致煩渴嘔吐之義，而此章因論以素有溼水之人與外感風熱相搏身體疼煩不嘔不渴之異者也。言傷寒邪氣進不甚急。八九日。而鬱熱尚能發於表。而汗出惡寒。是乃惡風遂爲風證。而其人固有之溼水。爲風熱所觸動升提浮出于肌膚。而與外邪相搏擊。因致身體疼煩不得自轉側之變。蓋雖邪氣不甚急。然八九日。則旣入於裏。應發嘔渴。而不嘔不渴者。以熱氣表發。邪氣專於外故也。今雖熱發。以溼水多。故脈氣不實。而見浮虛濇。仍主桂枝附子湯。以專解外邪。逐溼水矣。痓溼暍篇云。溼痹之候。其人小便不利。大便反快。但當利其小便。今此風溼。若其人大便鞕。

小便自利者。雖爲風熱被升提。以淫水殊多。故不能盡浮出。復下降偏滲於膀胱。而水液不潤內。腸間燥結也。因發汗則徒氣液亡。而其毒不除。故去桂加白朮。以專逐散淫水。則得水氣分利。而諸證悉解矣。論曰。服桂枝湯。或下之。仍頭項強痛。翕翕發熱無汗。心下滿微痛。小便不利者。桂枝去桂加茯苓白朮湯主之。小便利則愈。是與此方證雖稍異。其療意正同。按朮能治小便不利。然小便自利者加之何。蓋小便不利者。水飲停畜於內。今有淫水。而小便自利者。水多而偏滲於膀胱。俱由於水氣不分利得之。因同用朮以治矣。故方後曰其人如冒狀勿怪。此以附子朮併走皮內。逐水氣未得除。故使之耳。是朮能主利水也。此猶用桂枝發汗以治汗出。與大黃下瘀毒。以治下利。投瓜蒂得快吐。以治溫溫欲吐。要之其主意皆惟在隨病毒之所流注而拔之已。

風溼相搏。骨節疼煩。掣痛不得屈伸。字彙云掣曳也。王弼云滯隔不進。錢潢曰。掣痛者。謂筋骨肢節抽掣疼痛也。惟忠曰。前條則疼在身體。故不能自轉側。此則疼在骨節。故掣痛不得屈伸。近之則痛劇。疼煩掣痛不得屈伸。因心中不暫安。故手近之。則意先畏縮。愈覺痛劇也。甚則聲音步響皆畏。汗出短氣。小便不利。惡風不欲去衣。

或身微腫者。惟忠曰。今雖曰小便不利。而其汗出也。腫亦不太甚矣。故曰微。而又未必矣。故曰或。

甘草附子湯主之方

甘草二兩炙　附子二枚炮去皮　白朮二兩　桂枝四兩去皮

右四味。以水六升。煮取三升。去滓。溫服一升。日三服。

初服得微汗則解。能食汗止復煩者。汗止肌表鬱閉。則復發煩。將服五合。既得微汗。因復煩者。將服五合。恐一升多者。宜服六七合爲始。言初服之時。恐一升多者。宜服六七合爲始。漸增上服也。烏頭桂枝湯服法云。初服二合。不知卽服三合。又不知復加至五合。意與此類。惟忠曰。按如上三方。則皆煮取二升。此則煮取三升。豈隨附子之多少者邪。凡藥之於煎煮。大熟則氣自鈍。不熟則氣極銳。有宜乎銳者。有宜乎鈍者。各稽其宜。建以爲法。故煎煮之法。亦不可不愼矣。

此接前章。而申明不經日數。直風溼相搏者也。按風溼并稱。各見其證。似無多寡輕重。然傷寒八九日。而風溼相搏者。是風熱少。溼水多矣。故溼水不盡浮出肌膚。因致身體疼煩。不能自轉側。脈浮虛而濇。若大便鞕。小便自利。此章外感直見風證。而風熱多。溼水少矣。故溼亦爲熱盡浮出。相搏擊甚。流注骨節。而氣急迫。因致骨節疼煩。掣痛不得屈伸。近之則痛劇。汗出短氣。小便不利。惡風不欲去衣。或身微腫。乃主甘草附子湯。以治之矣。曰初服得微汗則解。得微汗而解者。是即所以風熱多也。

亦宜照分量去加以知矣。

傷寒脈浮滑。此以表有熱裏有寒。白虎湯主之方

知母六兩　石膏一斤碎　甘草二兩炙　粳米六合

右四味。以水一斗煮米。熟湯成去滓。溫服一升。日三服。臣億等謹按前篇云熱結在裏表裏俱熱者白虎湯主之。又云其表不解不可與白虎湯。此云脈浮滑表有熱裏有寒者必表裏字差矣。又陽明一證云脈浮遲表熱裏寒四逆湯主之。又少陰一證云裏寒外熱通脈四逆湯主之。以此表裏自差明矣。千金翼云白通湯非也。玉函作傷寒脈浮滑而表熱裏寒者白通湯主之。舊云白通湯一云白虎者恐非。注云舊云以下出叔和。傷寒論輯義云。今攷千金翼作白虎湯。疑玉函誤矣。濟按前章熱結在裏表裏俱熱白虎加人參湯主之。表不解不可與白虎湯。厥利病篇云傷寒脈滑而厥者裏有熱也。白虎湯主之。由是觀之此裏有寒之寒。當作熱字。傳寫之誤也。若表有熱裏

有寒則是四逆湯證而非白虎證陽明篇云脉浮遲表熱裏寒四逆湯主之又少陰篇云裏寒外熱通脉四逆湯主之據是則非裏有寒明矣蓋傷寒脉浮滑浮爲表熱滑爲裏熱故曰此以表有熱裏有熱白虎湯主之也今不曰表裏俱熱而曰表有熱裏有熱者此就脉法浮滑義以分言之也原注以表裏二字爲差程應旄引脉滑而厥者裏有熱之章以表裏二字爲錯簡並非也何則表有寒者寒邪在表之謂也乃屬表不解所以爲不可與白虎湯也且程氏所證之脉滑而厥者是謂熱結深裏陽氣不能達於四末而厥非表有寒之所致若表有寒而厥者則應發汗厥利篇云厥深者熱亦深厥微者熱亦微厥應下之而反發汗者必口傷爛赤若厥者皆爲表有寒之所致則發汗之變豈至此乎乃裏有熱而厥者非表有寒也成無己曰裏有寒有邪氣傳裏也以邪未入府故止言寒王三陽曰經文寒字當邪字解亦熱也諸説難信據又按玉函白虎作白通是後人疑裏寒且以白虎白通字相似誤改之也殊不知白通湯治少陰病下利脉微者固無與傷寒脉浮滑者之理失考也

此自前章傷寒脈浮發熱無汗其表不解不可與白虎湯來而論其表已解但脈見浮滑宜與白虎湯者也蓋傷寒脈浮滑而外無發熱內不至大渴者其熱難察知矣故驗之于其脈曰此以表有熱裏有熱也今表解脈浮滑者是邪熱在於裏未入胃尚欲能表發而不能發卻伏於肌肉津液爲之燥而熱氣益加也仍白虎湯主之以解散裏熱潤燥則邪熱表發而解散矣又按此章不次白虎加人參湯章下而舉於此者此不屬心下痞鞕且反應前章脈浮虛而濇浮虛而濇者裏無熱也浮滑

者表裏有熱也。因下更爲欲舉結代脈也。

傷寒脈結代。脈經云代脈來數中止不能自還因而復動脈結者生代者死楊仁齋察脈眞經云代者陰也動中有止不能自還因而復動由是復止尋之良久則起如更代之代心動悸。醫賸云五音五味篇云衝脈循背裏爲十二經之海舉痛論云寒氣客於衝脈衝脈起於關元隨腹直上寒氣客則不通脈不通則氣因之故喘動應手此論其動之發于外者所謂動氣是也今驗之衝脈之見有虛實之分凡人之腔裏一處有罅隙之地則脈動發洩或左或右虛之所在隨而應手焉而又其有食積留飮痎癖癥瘕等物則物與脈相抵觸實之所在亦隨而應手焉金鑑云心動悸者謂心下築築惕惕然動而不自安也若因汗下者多虛不因汗下者多熱欲飮水小便不利者屬飮厥而下利者屬寒今病傷寒不因吐下而心動悸又無飮熱寒虛之證但據結代不足之陰脈卽主以炙甘草湯者以其人平日血氣衰微不任寒邪故脈不能續行也炙甘草湯主之。方

甘草四兩炙 生薑三兩切 人參二兩 生地黃一斤 桂枝三兩去皮

阿膠二兩 麥門冬半升去心 麻仁半升 大棗三十枚擘。玉函作十二枚。是

右九味。以清酒七升。水八升。先煑八味。取三升。去滓。

內膠烊消盡。溫服一升。日三服。一名復脈湯。煑用清酒者。助

藥力行血氣也。此方主甘草。當名甘草湯。而冠炙字

者。欲別少陰篇所舉之甘草湯也。非有深義。故又有

復脈湯之名。所以名復脈者。此

方。以能潤和氣血行經脈也。

此就前章傷寒脈浮滑而論脈結代心動悸之異

證出治方也。蓋傷寒見脈結代心動悸者。是其人

血氣虛弱。因邪氣直及於裏。氣血逆動急迫。心中

無力之所致也。故炙甘草湯主之。以緩急潤和氣

血解外邪矣此與小建中湯證心中悸而煩相類而彼血液枯燥邪氣直及裏而鬱結因脈弦濇腹中急痛又類當歸四逆湯手足厥寒脈細欲絕宜窮病理以知治方之所異矣又千金方炙甘草湯治肺痿涎唾多出血心中溫溫液液者千金翼復脈湯治虛勞不足汗出而悶脈結心悸行動如常不出百日危急者二十一日死亦宜參考又按此篇首主論結胸次及心下痞鞕而至夫傷寒胸中有熱章則總收痞鞕之義焉末段四章乃似不類此者然傷寒八九日見風證者卽本中篇傷

寒五六日。中風之義。且對前章傷寒。若吐若下後。七八日不解。熱結在裏大渴。及傷寒胸中有熱胃中有邪氣。腹中痛欲嘔吐。而論傷寒至八九日。致風證。與溼水相搏。身體疼煩。不嘔不渴脈浮虛而濇裏無熱之異證也。傷寒脈浮滑章。乃前章所謂。傷寒脈浮。發熱無汗。其表不解。不可與白虎湯者。未盡其義。因論其表已解也。脈浮滑。表有熱。裏有熱者。乃其脈浮滑。與前浮虛濇互應也。傷寒脈結代章者。亙對前章脈浮滑。而論之。以互明其虛實也。是皆傷寒局外之變。而乃此篇之餘論。古人盡意于篇次章句之間。精義入神矣。

脈按之來緩時一止復來者。名曰結。以上出于辨脈篇無按之二字

又脈來動而中止更來小數。中有還者。反動名曰結。陰也。此以下承上文而更欲詳結脈代脈狀故曰又錢潢曰結者邪結也脈來停止暫歇之名猶繩之有結也凡物之貫於繩上者遇結必礙雖流走之甚者亦必少有逗留乃得過也此因氣虛血澀邪氣間隔於經脈之間耳虛衰則氣力短淺間隔則經絡阻礙故不得快於流行而止歇也動而中止者非辨脈法中陰陽相搏之動也謂緩脈正動之時忽然中止若有所遏而不得動也更來小數者言止後更急强作小數小數者鬱而復伸之象也脈來動而中止不能自還因而復動者。名曰代。陰也。樓全善醫學綱目云自還者動而中止復來數於前動也不能自還者動而中止復來如前動同而不數也濟按名曰結名曰代並一句陰也亦一句或以陰也合上爲一句

者。也。非得此脈者。必難治。錢潢曰。上文雖云脈結代者。皆以炙甘草湯主之。然結爲病脈。代爲危候。故又有得此脈者。必難治句。以申明其義。

此詳辨前章結代脈狀也。蓋病人見結代脈者。血氣虛弱。而不任寒邪。脈氣不能續行也。而二脈其狀有稍異耳。故俱爲陰也。辨脈法云。陰盛則結。是也。結脈者。邪壅甚。代脈者。邪勝正。故爲必難治。郎脈經所謂脈結者生。代者死之意。又按此王叔和之所補。玉函無此章。

傷寒論繹解卷第四　畢

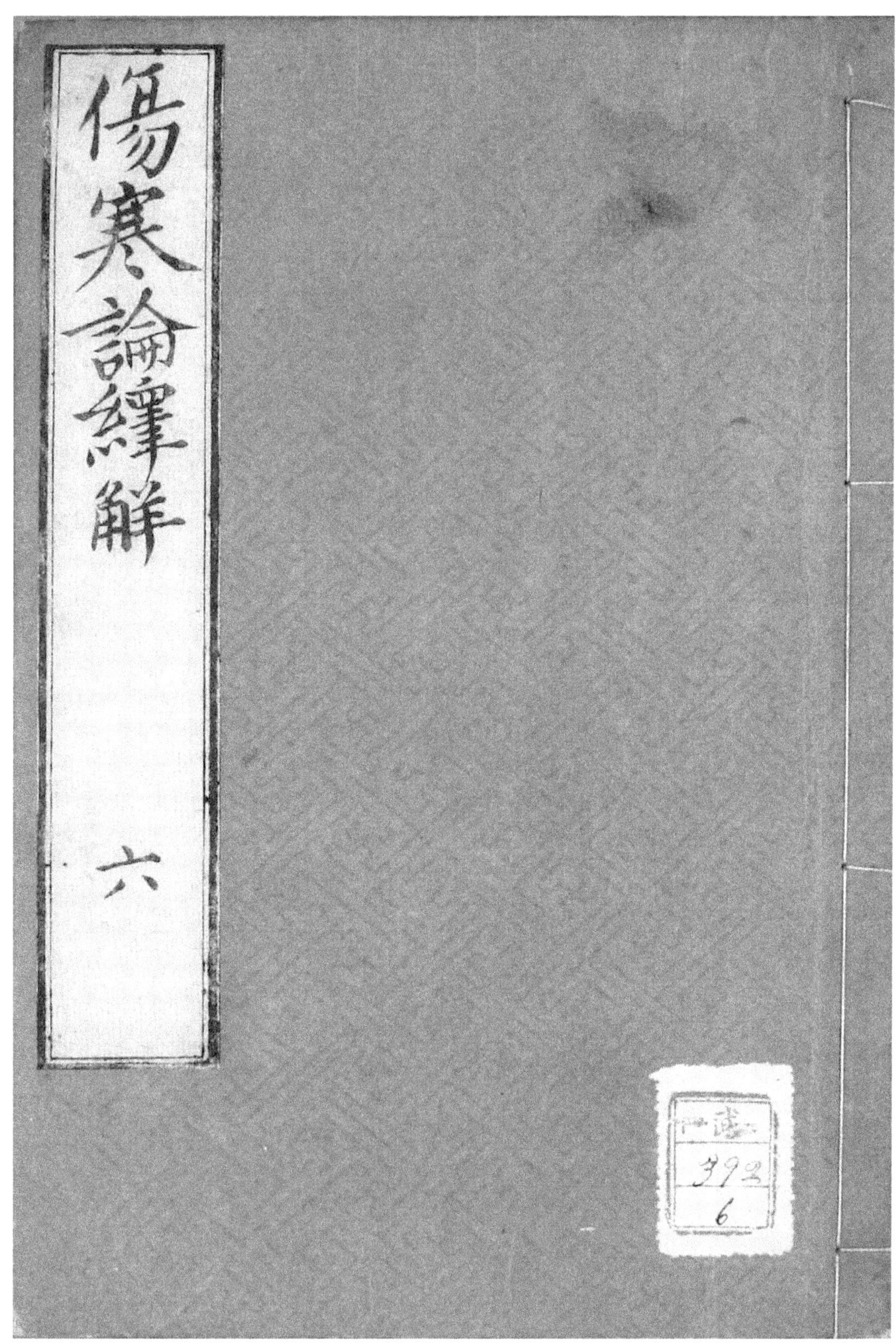
傷寒論繹解
六

門 試
號 392
卷 6

傷寒論繹解卷第五

平安　柳田濟子和　著

辨陽明病脈證并治第八

合四十四法。方一十首。一方附。并見陽明少陽合病法。

字彙云。明。光也。顯也。濟按陽明者。左右兩陽合明之謂。素問至眞要大論云。帝曰。陽明何謂也。岐伯曰。兩陽合明也。靈樞陰陽繫日月篇云。辰者三月。主左足之陽明。巳者四月。主右足之陽明。此兩陽合于前。故曰陽明。卽是也。

陽明病者。陽氣極盛也。陽氣極盛者。陰氣亦隨盛。乃熱氣延漫於表裏。寒化爲熱。故指見胃家實。腹滿讝語。惡熱潮熱。濈然汗出等證。

又按此篇所論。以熱氣延漫於表裏。直煎熬

胃液。故專主胃家實。因舉邪熱既實。未實表未解。及變證數章焉。乃自陽明病。不吐不下心煩章以下。至於傷寒四五日。脈沉而喘滿。辨既實未實焉。中間乃自三陽合病以下。至於陽明病。脈浮無汗而喘者。是皆論表未解焉。末段乃自陽明病。瘀熱在裏。身必發黃。以下。至於傷寒。瘀熱在裏。身必黃。是皆極諸變證焉。以總結此篇。

問曰。病有太陽陽明。有正陽陽明。有少陽陽明。何謂也。答曰。太陽陽明者。脾約（一云絡）是也。正陽陽明者。胃家實是也。少陽陽明者。發汗利小便已。胃中燥煩實大便難是也。玉函。脾約。一作。脾結。發汗。利。小便。作發其汗。若利其小便。無煩實二字。是成無己曰。陽明胃也。邪自太陽經傳之入府者。謂之太陽陽明。經曰。太陽病若吐。若下。若發汗後。微煩。小便數。大便因鞕者。與小承氣湯。卽是太陽陽明脾約病也。邪自陽明經傳入府者。謂之正陽陽明。經曰。陽明病脈遲。雖汗出。不惡寒。其身必重。短氣。腹滿而喘。有潮熱者。外欲解。可攻裏也。手足濈濈然汗出者。此大便已鞕也。大承氣湯主之。卽是正陽陽明胃家實也。邪自少陽經傳之入府者。謂之少陽陽明經曰傷寒脈弦細頭痛發熱者屬少陽少陽不可發汗發汗則讝語此屬胃即是少陽陽明病也濟按此章所說不合本論之旨趣意此王叔和依胃府爲陽明設三陽明之名以明自經傳之入府之病狀也又凡篇首置太陽之爲病少陽之爲病云云等之章今獨此章在篇首者錯簡也玉函以次章爲篇首者是也

陽明之爲病胃家實一作寒是也家猶云內

陽明者陽氣極盛之謂也陽明受寒邪則熱氣延漫於表裏煎熬胃液因其爲病邪氣直實於胃此

爲之主意。故曰胃家實是也。此章論陽明正受病之主證也。此陽明病之總綱。以下凡曰陽明病者。皆由此證。立言以及或未實或表未解之諸證。

問曰。何緣得陽明病。答曰。太陽病若發汗。若下。若利小便。此亡津液。胃中乾燥。因轉屬陽明。不更衣。內實大便難者。此名陽明也。玉函無此字作爲陽明病也

成無己曰。本太陽病不解。因汗利小便。亡津液。胃中乾燥。太陽之邪入府。轉屬陽明。古人登廁。必更衣。不更衣者。通爲不大便。不更衣。則胃中物不得泄。故爲內實。胃無津液。加之畜熱。大便則難。爲陽

明裏實也。

問曰。陽明病外證云何。答曰。身熱汗自出。不惡寒。反惡熱也。（玉函無自字。反上有但字。）

成無己曰。陽明病爲邪入府也。邪在表則身熱汗出。而惡寒。邪既入府則表證已罷。故不惡寒。但身熱汗出而惡熱也。柯琴曰。四證是陽明外證之提綱。故胃中虛冷。亦得稱陽明病者。因其外證如此也。

問曰。病有得之一日。不發熱而惡寒者何也。答曰。雖得之一日惡寒。將自罷。即自汗出而惡熱也。

成無己曰邪客在陽明當發熱而不惡寒今得之一日猶不發熱而惡寒者卽邪未全入府尚帶表邪若表邪全入則更無惡寒必自汗出而惡熱也問曰惡寒何故自罷答曰陽明居中主土也萬物所歸無所復傳始雖惡寒二日自止此爲陽明病也太陰陽明論云脾者土也治中央常以四時長四藏各十八日寄治不得獨主於時也脾藏者常著胃土之精也土者生萬物而法天地故上下至頭足不得主時也五藏別論云胃者水穀之海六府之大源也五味入口藏於胃以養五藏氣齊按胃足陽明之脈居中央象土故曰陽明居中主土也

柯琴曰太陽病八九日尚有惡寒證若少陽寒熱往來三陰惡寒轉甚非發汗溫中何能自罷惟陽

明惡寒未經表散即能自止與他經不同始雖惡寒二句語意在陽明居中句上夫知陽明之惡寒易止便知陽明爲病之本矣胃爲戊土位處中州表裏寒熱之邪無所不歸無所不化皆從燥化而爲實實則無所復傳此胃家實所以爲陽明之病根也濟按右四章論陽明病之所因及外證然有與本論所不愜此亦王叔和之補語

本太陽初得病時發其汗汗先出不徹因轉屬陽明也先先于邪氣也言不邪氣與汗幷出故不徹也徹除也轉轉移也屬附屬也

此章言本太陽頭項強痛而惡寒初得之時發汗

不得宜。乃汗先出。邪氣不除。徒津液亡。熱氣益加。而延漫於表裏。然此非全致陽明正證。又非併病。轉移陽明也。

傷寒發熱無汗。發熱者。當有汗。而無汗者。邪氣深鬱閉甚也。為下文反汗出言之也。嘔不能食。而反汗出濈濈然者。是轉屬陽明也。程應旋曰。濈濈連綿之意。方有執曰。熱而汗出貌。

傷寒。即太陽病。或已發熱。或未發熱。必惡寒體痛嘔逆。脈陰陽俱緊者也。其證而已發熱無汗。嘔不能食。是邪氣從表既犯於胸脇。而今反汗出濈濈然者。熱氣益熾。蒸發胃液。而惡寒罷。故為轉屬陽明也。前章及此章。俱承首章陽明正受邪而明太陽病因誤治。轉屬陽明矣。傷寒不因誤治。轉屬陽明矣。蓋太陽病者。邪氣專在於表。乃經若發汗。若吐。若下。而爲陽明。小陽。太陰病。故別其本末。曰本太陽也。傷寒者。邪氣深劇。而自能爲轉變。乃有不汗吐下。亦轉屬陽明少陽太陰者。故雖既見陽明少陽。太陰證。單稱傷寒。而不別本末也。於少陽太陰。亦例皆同。宜併考以知其義矣。

傷寒三日。陽明脈大。（玉函此章置于上篇傷寒二三日陽明少陽章後。）

按此非指寸口脈。卽陽明脈也。不爾則文義不順。

決死生論云。上部地。兩頰之動脈。呉注云。兩頰。足陽明胃經脈氣所行。巨繆分也。卽是。又按脈大下。有脫文。玉函有者爲欲傳四字是也。熱論云。傷寒一日巨陽受之。二日陽明受之。三日少陽受之。今三日陽明脈大者。病進爲欲傳也。少陽篇云。傷寒三日。少陽脈小者。欲已也。宜併見以知其意矣。

傷寒。脈浮而緩。手足自溫者。是爲繫在太陰。太陰者。身當發黃。太陰不必發黃。發黃者。一證也。若小便自利者。不能發黃。發黃者。小便不利。可得知矣。至七八日。大便鞕者。爲陽明病也。小便自利。大便鞕。則胃中燥實。故爲陽明病也。

前章先舉傷寒發熱無汗因以反汗出濈濈然明轉屬陽明矣此章先舉脈浮緩手足溫繫在太陰因以七八日大便鞕令知爲陽明病矣蓋太陰病者陰氣盛寒邪淩進熱氣不盛乃邪熱伏於肌肉而不能表發故脈浮而緩手足自溫者是爲繫在太陰而小便不利者伏熱瘀鬱與畜水相熏蒸身當發黃也若小便自利者水熱不瘀畜故不能發黃至七八日邪氣入裏之時小便自利大便鞕者當見熱氣熾手足濈然汗出不惡寒反惡熱脈實大故是爲陽明病也因次章論濈然微汗出者曰

轉繫陽明。又於太陰篇論之曰。至七八日。雖暴煩
下利日十餘行。必自止。以脾家實腐穢當去故也。
是七八日。雖邪氣入裏。下利腐穢去。不實於胃。故
不爲陽明。宜併考。

傷寒轉繫陽明者。按繫係也。轉繫與轉屬異。轉繫謂始轉繫陽明。未具其證。轉屬謂既附屬陽明病證。又其證具。則爲陽明病。其人濈然微汗出也。玉函作濈濈然。

此接前章。而更明傷寒轉繫陽明者。其人濈然微
汗出之外證先見也。陽明病者。熱氣延漫乃濈然
汗出也。而此未至胃家實大便鞕。故汗出微也。若
既實胃。大便鞕者。則至手足濈然汗出。故論曰。手

足濈然汗出者。此大便已鞕也。

陽明中風。口苦咽乾。腹滿微喘。發熱惡寒。發熱則當惡風。而惡寒者。蓋陽明病者。邪氣已淩鬱閉於肌肉。故雖中風發熱。仍惡寒也。若邪熱既實。則直變惡熱。是故陽明篇中。絕無言惡風者。脉浮而緊。邪氣在於表。而及胸腹。然此中風熱氣尚能達於表。正邪相搏甚也。故脉浮而緊。今最後舉脉者。見邪氣尚專在表。而痠示下之誤也。若下之。則腹滿小便難也。下後更言腹滿者。下之腹滿當減。而反至甚故也。

此於陽明病中。別邪氣進緩鬱熱直發於表者。以名爲陽明中風。蓋中風者。邪氣感淺。直熱發。而其毒進緩。故於陽明病。致口苦咽乾腹滿微喘發熱惡寒。脉浮緊。而徑不實於胃家。因若惟據腹滿。下之則徒傷損胃氣表邪乘其虛盡內陷腹氣爲之結滯乃致腹滿甚小便難通之變矣此陽明中風之總綱後凡稱陽明中風者皆由此脈證立言以及其變又按陽明病者以胃家實爲主故今於中風亦先裏證後表證是所以與太陽中風邪氣專在於表異也仲景全書婁氏云陽明宜下先列在經與裏虛不宜下者於前仲景愼重之意可見

陽明病若能食名中風不能食名中寒能食者非眞欲食之謂對不能食言也不曰傷寒名中寒者意在寒直中胃矣

此揭陽明病寒邪直中胃者以更設中寒之名也

言陽明病若邪氣進緩鬱熱表發但外氣熱而不至胃實者能食故名中風寒邪直中胃則胃中虛冷食穀不化輸因不能食故名中寒但以能食不能食建中風中寒名者是其言大概也柯琴曰此不特以能食不能食別風寒更以能食不能食審胃家虛實也要知風寒本一體隨人胃氣而別

陽明病若中寒者此暗對中風故曰若中寒非對陽明以前章文意可見不能食小便不利手足濈然汗出此欲作固瘕字彙云瘕腹中病也

按固瘕謂熱與水穀相結固也故曰手足濈然汗出此欲作固瘕即與手足濈然汗出者此大便已鞕同但以小便不利胃中冷水穀不別故大便初鞕後溏之異耳或爲寒氣結積或爲大瘕瀉者義不通必

大便初鞕後溏所以然者以胃中冷水穀不別故也
此接前章而申明陽明病中寒證也言陽明病若寒邪直中胃者表裏氣忽阻隔而熱氣延漫但胃中爲寒冷水穀不別因不能食小便不利手足濈然汗出者是熱與水穀相結欲作固瘕必大便初鞕後溏故更明其病因曰所以然者以胃中冷水穀不別故也今胃中寒而猶稱陽明病者卽指身熱汗自出不惡寒反惡熱等之外證而言也又按此似後章脈浮而遲表熱裏寒及陽明病發潮熱大便溏證然而細究其病理則亦有所異矣且中

寒名始見於玆而論中無及其義者因意此王叔和爲辨別陽明病胃中虛冷者對中風設之名也

陽明病初欲食小便反不利大便自調其人骨節疼翕翕如有熱狀奄然發狂濈然汗出而解者字彙云奄覆也忽也按發狂而汗出者溫疫論名之狂汗爲伏邪中潰霍然而愈之候蓋本于此也此水不勝穀氣與汗共并脈緊則愈

此章曰初欲食者就前章陽明中風能食者而言乃與中寒不能食互對曰小便反不利大便自調者與小便不利大便初鞕後溏相照以明胃中無病矣濈然汗出與手足濈然汗出應而彼胃中冷

水穀不別因欲作固瘕此水不勝穀氣與汗共并
言陽明病初欲食大便自調者邪氣尚在表也邪
氣在表者小便亦當快利而反不利小便不利者
大便應溏泄而自調者此邪氣及下焦但膀胱氣
不和水道不通水停故也其人骨節疼翕翕如有
熱狀是熱氣爲停水難表發伏結於肌肉骨節也
穀氣者初欲食之穀氣即精氣也評熱病論云邪
氣交爭於骨肉而得汗者是邪卻而精勝也今奄
然發狂濈然汗出而解者此水不勝穀氣與汗共
并乃伏熱暴動之勢逆迫心家心神忽憒亂也緊

脉者。因熱發與邪氣相搏劇。故脉緊。則邪盡解散而愈。此以陽明熱氣盛。故爾矣。

陽明病欲解時。從申至戌上。

按酉乃四陰生。陽明者。陽氣極盛。而熱滲損陰甚於太陽。故得申酉戌。陰長之時。則陰復與陽相協和。而欲解也。

陽明病。不能食。攻其熱。必噦。其熱、斥陽明裏熱言也、張思聰曰、高子云遍閲諸經、止有噦而無呃、則噦之爲呃也、確乎不易、詩曰、鑾聲噦噦、謂呃之發聲有序、如車鑾聲之有節奏也、凡經論之言噦者、俱作呃解無疑、所以然者。胃中虛冷故也。以其人本虛。攻其熱必噦。

此章曰不能食者，就前章陽明中寒不能食者而言。乃與中風能食互對，以明胃中有病矣。言陽明病胃實不能食者，可攻下之。其人本胃氣虛弱，食穀不化輸，不能食者，攻其熱必噦。所以然者，胃中虛冷氣逆故也。如斯宜審按察腹裏虛實以施治矣。又總承上文云，不啻因攻下而虛冷，以其人本虛，故攻其熱必噦。是重言病源也。古人叮嚀告戒，勿忽諸。卽胃中虛冷不能食者，飲水則噦之類也。

陽明病，脈遲，食難用飽，飽則微煩頭眩，必小便難，此欲作穀癉。字彙云：飽，食充滿也。癉，黃病也。濟按：玉函作疸。此因食鬱發癉，故名穀癉。錢潢曰：謂之欲作。蓋將作未作之時也。雖下之。腹滿如故。不下前。既腹滿。故曰如故。所以然者。脈遲故也。

此承前章而論之。言陽明病。邪熱未盛實。雖能食。其脈遲者。胃氣爲邪壅。不健運。乃脈行不速也。因食難用飽。飽則食穀停滯。抑胃氣。而精氣不充於上。發微煩頭眩。胃氣閉塞。則水道亦不通暢。必致小便難。此熱氣與瘀滯熏蒸。欲作穀癉。雖下之。胃氣虛而益難行。故腹滿如故。此章之主意在脈遲。故曰所以然者。脈遲故也。

陽明病。法多汗。反無汗。其身如蟲行皮中狀者。此以久虛故也。字彙云，有足曰蟲，無足曰豸。李陽水曰，蟲者，裸毛羽鱗介之總稱，族各三百六十。

此章論因他病久虛致無汗之變也。言陽明病熱氣延漫而升蒸津液，故法當多汗，而反無汗。其身如蟲行皮中狀者，此以久虛血液枯涸，不得爲汗，而鬱於皮中，氣難行故也。所謂以其不能得小汗出，身必癢之類也。

陽明病，反無汗，而小便利，略法多汗三字。二三日嘔而咳，手足厥者，必苦頭痛。若不咳不嘔，手足不厥者，頭不痛。一云冬陽明。按千金翼作冬陽明，玉函作各陽明。

此更論反無汗而小便利。二三日邪熱伏於裏之變。言陽明病反無汗而小便利者，不能熱氣引津以出於外，因水偏湊於下焦而滲入膀胱故也。此二三日熱氣怱伏於裏，而胃氣衝逆，便嘔而咳，手足厥者，必苦頭痛。頭痛者，是從嘔咳厥，故若不咳不嘔，手足不厥者，頭不痛也。此別太陽之頭痛也。

陽明病，但頭眩（外無餘證，故曰但），不惡寒（外已解也），故能食而咳（胃無病，故能食），其人咽必痛；若不咳者，咽不痛。（一云冬陽明）

此承前章飽則微煩頭眩，而論陽明病邪熱伏於胸間，而氣不充上，但頭眩不惡寒，能食而咳，因咳咽痛者。故若不咳者，咽不痛。此別少陰之咽痛也。

陽明病。無汗小便不利。心中懊憹者。身必發黃。

此與前章小便利反對。言陽明病。雖無汗。小便利者。不發黃。今此無汗小便不利。心中懊憹者。瘀熱與畜水。相熏蒸。毒氣逆鬱滯於心胸之所致。因身必發黃也。

陽明病。被火。額上微汗出。而小便不利者。必發黃。

此更論因火逆發黃者也。陽明病熱氣盛而被火攻。邪熱與火氣相搏。熏蒸津液。因氣壹上逆。但額上微汗出。而小便不利者。必發黃。所謂被火者。微發黃色之類也。

陽明病脈浮而緊者必潮熱發作有時但浮者必盜汗出。玉函以此章出于陽明病無汗章前

此章以脈診分邪氣之淺深而明其變態也言陽明病脈浮而緊者熱氣延漫於表裏而深專裏也因遂實胃必潮熱發作有時但浮者尚淺專表也因遂鬱肌肉必盜汗出

陽明病口燥但欲漱水不欲嚥者此必衄。玉函漱作嗽漱漱口也嚥吞也魏氏云漱水非渴也口中黏也

此章言陽明病口燥但欲漱水不欲嚥者邪熱逆盛於上鬱結肌肉而難表發遂迫血脈而未深裏

也。因此為必衄之兆。惟忠曰。金匱要略亦為瘀血之候也。例又曰。脈浮發熱口乾鼻燥者則衄。亦類之也。大抵裏有熱者。必口乾咽燥。於是其渴者與白虎湯。其不渴者。與承氣湯。若於鼻衄也在表則宜麻黃湯。於裏則宜瀉心湯。雖口燥之如一乎。或渴或不渴。雖衄之如同乎。或在表或於裏。此之為其別也。夫既有其別也。如此豈可同其治法哉。

陽明病。本自汗出。醫更重發汗。本自汗出者。邪氣在表則宜發汗也。已發汗邪氣除。乃不可發汗。而復汗。故曰醫更重。是咎發汗過多也。病已差。尚微煩不了了者。此必大便鞕故也。以亡津液。胃中乾燥。故令大便鞕。當問其小便日幾行。若本小便日三四行。今日再行。故知大便不久出。今為小便數少。字典云。幾韻會。居希切音機。廣韻。何也。數。集韻。爽主切音藪。說文。計也。羣經音辨。計之有多少曰數。以津液當還入胃中。故知不久必大便也。

此章明陽明病本自汗出。更重發汗。病已差。但以津液乾燥。故大便鞕者。勿攻下之。宜待津液復。欲大便也。即與蜜煎導證類方有執曰。蓋水穀入胃。其清者為津液。粗者成楂滓。津液之滲而外出者。則為汗。潴而下行者為小便。故汗與小便出多。皆能令人亡津液。所以楂滓之為大便者。乾燥結鞕

而難出也然二便者水穀分行之道路此通則彼塞此塞則彼通小便出少則津液還停胃中胃中津液足則大便輭滑此其所以必出可知也

傷寒嘔多雖有陽明證該陽明病諸證言也不可攻之

此承傷寒發熱無汗嘔不能食而言嘔之太多者也今嘔多者表邪入裏熱氣益加而犯胃雖有陽明證邪氣尚壅於上焦水熱相幷而未成燥結也若誤攻下之則徒使胃氣虛而病不全除必生變證當須邪氣盡入胃而攻之也論曰但初頭鞕後必溏未定成鞕攻之必溏須小便利屎定鞕乃可

攻之。是嘔大便雖異。於其未成燥結。則一也。故曰不可攻之。又云陽明病。脇下鞕滿。不大便而嘔。舌上白胎者。可與小柴胡湯。此之類也

陽明病。心下鞕滿者。不可攻之。攻之。利遂不止者死。利止者愈。

此就前章不可攻論之也。言陽明病腹鞕滿。應攻下之。心下鞕滿者。邪氣尚結於心下。而未全入胃也。故不可攻之。若誤攻之。則胃氣脫。邪乘虛盡內陷。利遂不止者。精氣竭而死。此不可攻也。必矣。然此本陽明熱實。乃邪氣幸因下除。精氣復利速止

者猶可愈也。惟忠曰。心下鞕滿而痛者。大陷胸湯也。腹中滿痛者。大承氣湯也。此二者之於别。在心下與腹中也。又不但在腹中。雖至于少腹。仍以大陷胸湯。惟在心下鞕滿。則其痛與否。皆不以承氣湯。此之爲法也。故曰不可攻之。是故若心下滿痛。則以大柴胡湯。若心下鞕按之痛。則以小陷胸湯。若心下鞕滿而不痛。則以半夏瀉心湯。所謂隨證治之者也。

陽明病。面合色赤。不可攻之。必發熱。合猶云都也。言面色緣緣都赤色黃者。小便不利也。

此章視面色而察知其病機。更示不可攻者也。言陽明病。面合色赤者。邪熱伏於肌肉。怫鬱于上。而未全入胃。故不可攻之。此必熱動。遂發越之兆也。所謂面色緣緣正赤者。陽氣怫鬱在表之意。色黃者。因瘀熱熏蒸津液。小便不利也。卽前章云。無汗小便不利。心中懊憹者。身必發黃之類也。蓋陽明病專論攻下。故諄諄諭不可攻者。以深戒之也。又按以上十七章說陽明病諸變證也。詳且盡矣。然亦有其旨趣。所不相愜。疑非仲景氏之舊論。

陽明病。不吐不下。言有欲自吐下之態。而不吐下也。是邪熱徑入胃。乃胃氣不和。水穀渣滓觸動迫上逼下之所致也或以爲未經吐下之義者非也若未經吐下則當曰未吐下少陽篇本太陽病章下云尚未吐下心煩者毒氣急迫即是不爾則意不通也心胸故也可與調胃

承氣湯方

甘草二兩炙　芒消半升　大黃四兩清酒洗

右三味切以水三升煑二物至一升去滓內芒消更上微火一二沸溫頓服之以調胃氣上篇無切字是

按此篇先論調胃承氣湯者此承自章而且照之于太陽病過經十餘日章云自極吐下者與調胃承氣湯欲以明陽明病不吐不下心煩未至腹鞕滿潮熱大便鞕手足濈然汗出者宜與調胃承氣

湯頓服以調胃氣救其急之義也而彼章言自極吐下後邪熱入胃而腹微滿鬱鬱微煩此論邪熱徑入胃不吐不下心煩蓋雖自極吐下不吐不下相矛楯至其邪熱實胃氣不和則一也故俱爲此湯之所治也又觀太陽篇中唯論調胃承氣湯而不舉大小承氣可以知矣是猶太陽中篇先論葛根湯下篇先舉大陷胸丸此皆依有所承接也

陽明病脈遲此熱氣未盛實胃氣爲邪壅不健運因脈行不速也卽遲而有力者也非遲爲寒之虛遲論曰脈遲尚未可攻是也蓋雖脈遲未可攻然既至胃實則必加實大乃可攻也是故先提揭脈遲而辨別其證言外欲解與未解者也雖汗出不惡寒者其身必重短

氣腹滿而喘。有潮熱者。此外欲解。可攻裏也。以上證邪氣入裏之所致。故曰外欲解可攻裏也。然此未定爲大承氣湯證。程應旄曰、身重者經脈有所阻也。表裏邪盛皆能令經脈阻。邪氣在表而喘者。滿或在胸。而不在腹。此則腹滿而喘。知外欲解可攻裏也。

手足濈然汗出者。此大便已鞕也。大承氣湯主之。此以手足濈然汗出。知大便鞕也。至此爲大承氣湯證定。然故曰主之。錢潢曰、熱邪歸胃。邪氣依附于宿食粕滓。而鬱蒸煎迫。致胃中之津液枯竭。故發潮熱。而大便硬也。若不以大承氣湯下之。必至熱邪敗胃。譫語狂亂。循衣摸牀等變。而至不救。正珍曰、手足濈然汗出者。言自腹背至手足末。濈濈然而汗出也。蓋承上文汗出二字言之。

若汗多。微發熱惡寒者。外未解也。一法與桂枝湯。濟按此對上文外欲解而言。外未解也。此一節直接脈遲下。以立一義。故用若字。即後所謂陽明病脈遲。汗出多。微惡寒者。表未解也。可發汗。宜桂枝湯之意。而不詳舉之於茲。後論之者。蓋陽明病者。以胃家實爲主。故先舉下藥。若其邪氣尚在表。及外未解。宜發汗者。則必後之也。其熱不潮。未可與承氣湯。與上有潮熱反對。此即大承氣湯之略言。潮熱者實也。今其熱不潮者。雖邪氣入裏。未至胃實也。因更斷之于潮熱。曰未可與承氣湯。此承上文而言之。乃暗含外未解之意。若腹大滿。不通者。可與小承氣湯。微和胃氣。勿令至大泄下。此直接上節。故曰若腹大滿。即上腹滿之甚也。不通。大便不通也。言雖其熱不潮。若腹大滿不通者。裏氣鬱閉甚。因可與小承氣湯。微和胃氣。通大便。以解裏鬱。然而若過大泄下之。則裏虛邪熱陷。而必至危篤矣。故重戒之。曰勿令至大泄下也。

大承氣湯方　此方下除腹中熱實燥屎堅滿。而承順上下之氣。故名。大對小承氣湯而示其藥力之強大也。

大黃四兩酒洗　厚朴半斤炙去皮　枳實五枚炙　芒消三兩

右四味。以水一斗。先煮二物。取五升。去滓。內大黃。更煮取二升。去滓。內芒消。更上微火一兩沸。分溫再服。

得下餘勿服。厚朴炙去皮。除麤皮取精也。大黃煮熟。則其氣鈍而泥心下。故先煮二物。去滓。後內之也。芒消內熱湯。即消解。故最後內之。一兩沸也。得下。謂得燥屎宿食瘀濁下也。餘勿服。不欲過當也。金鑑云。諸積熱結於裏。而成滿痞燥實者。均以大承氣湯下之也。滿者腹脇滿急䐜脹。故用厚朴以消氣壅。痞者心下痞塞硬堅。故用枳實以破氣結。燥者腸中燥屎乾結。故用芒消潤燥軟堅。實者腹痛大便不通。故用大黃攻積瀉熱。然必審四證之輕重。四藥之多少。適其宜。始可與也。若邪重劑輕。則邪氣不服。邪輕劑重。則正氣轉傷。不可不慎也。

小承氣湯方

大黃四兩　厚朴二兩炙去皮　枳實三枚大者炙

右三味。以水四升。煮取一升二合。去滓。分溫二服。初服湯。當更衣。不爾者盡飲之。若更衣者。勿服之。此但腹大滿不通者。而未至結實。乃以胃氣和更衣爲度。故一服。若更衣者。勿服之也。惟忠曰。如大承氣湯。則煮取二升。分溫再服。如小承氣湯。則煮取一升二合。分溫再服。如調胃承氣湯。則煮取一升。少少溫服。因此考之。不唯作劑之有差。而服之亦有多少之差也。豈可不復爲法乎。

此承前章。而論陽明病脈遲。雖汗出。不惡寒者。熱氣延漫也。乃其身必重。短氣。腹滿而喘。裏熱益加而實。有潮熱者。此外欲解。可攻裏也。其汗及手足濈然者。此邪熱既入胃。裏液爲熱蒸出也。因胃中乾。糟粕燥結。大便已鞕也。乃主大承氣湯。以下燥屎矣。若汗多。微發熱惡寒者。外未解也。此屬桂枝。

湯證。其熱不潮者。未結實。未可與承氣湯。然若腹大滿不通者。裏氣鬱閉甚也。乃可與小承氣湯。微和胃氣。通大便。解裏熱。以明三承氣之所主治。且示陽明病者。以胃實爲主。然外未解。其熱不潮者。不可下之義。爲後論桂枝麻黃之基焉。按三承氣湯。功用彷彿。極難辨別矣。因今就本論所舉之諸證詳之焉。大承氣湯證曰。手足濈然汗出者。大便已鞕也。曰陽明病潮熱。大便微鞕者。曰傷寒若吐。若下後不解。不大便五六日。上至十餘日。但發熱讝語者。曰陽明病讝語有潮熱。反不能食者。胃中必有燥屎五六枚也。曰汗出譫語者。以有燥屎在胃中。曰二陽併病。太陽證罷。但發潮熱。手足漐漐汗出。大便難而譫語者。曰陽明病下之。心中懊憹而煩。胃中有燥屎。曰病人煩熱。汗出則解。又如瘧狀。日晡所發熱者。屬陽明也。脈實者。曰大下後六七日不大便。煩不解。腹滿痛者。此有燥屎也。曰病人小便不利。大便乍難乍易。時有微熱。喘冒不能臥者。有燥屎也。曰須小便利。屎定鞕。乃可攻之。曰傷寒六七日。目中不了了。睛不和。無表裏證。大便難。身微熱者。此爲實也。曰陽明病發熱汗多者。曰發汗不解腹滿痛者曰腹滿不減減不足言曰陽明少陽合病必下利脉滑而數者有宿食也曰少陰病二三日口燥咽乾者曰少陰病自利清水心下痛口乾燥者曰少陰病六七日腹滿不大便者以上諸證皆邪熱實於胃而成燥屎或有宿食或鬱閉甚之所致也因用大黃芒消枳實厚朴以下除實熱燥屎矣故服法曰取二升分溫再服曰下之曰下之愈曰當下之曰急下之曰得下餘勿服曰得利止後服小承氣湯證曰腹大滿不通者曰若不大便六七日恐有燥屎欲知之法曰其後發

熱者。必大便復鞕而少也。曰陽明病。其人多汗。以津液外出胃中燥。大便必鞕。鞕則讝語。曰陽明病。讝語發潮熱。脈滑而疾者。曰太陽病若吐。若下。若發汗後微煩小便數大便因鞕者。曰得病二三日。脈弱。無太陽柴胡證。煩躁心下鞕至四五日。雖能食。曰下利讝語者。有燥屎也。此雖有燥屎。專下利。因屬小承氣湯證也。是皆邪熱在於裏。而犯胃。腹滿無燥屎。但大便鞕。大便不通之所致也。因用大黃枳實厚朴。以和胃氣。通大便。專解裏熱矣。故服法曰。取一升二合。分溫二服。曰服一升。曰少與。曰微和胃氣。勿令至大泄下。曰和之。曰和之愈。曰少少與微和之。曰若更衣者。勿服之。曰一服讝語止者。更莫復服。調胃承氣湯證曰。胃氣不和。讝語者。曰不惡寒。但熱者。實也。曰傷寒十三日。過經讝語者。以有熱也。當以湯下之。若小便利者。大便當鞕。而反下利。脈調和者。知醫以丸藥下之。非其治也。若自下利者。脈當微厥。今反和者。此爲內實也。曰太陽病。過經十餘日。心下溫溫欲吐。而胸中痛。大便反溏。腹微滿。鬱鬱微煩。先此時自極吐下者。曰陽明病。不吐。不下。心煩者。曰太陽病三日。發汗不解。蒸蒸發熱者。屬胃也。曰傷寒吐後腹脹滿者。此雖腹脹滿。吐後邪熱徑入胃。胃氣不和之所致。而非滿痛。因屬調胃承氣湯證。是皆邪熱徑入於胃。胃氣不和。水穀觸動。毒氣急迫之所致。而不至腹滿潮熱。大便鞕。手足濈然汗出也。因用大黃芒消甘草。以和胃氣。專除胃熱。救其急矣。故服法曰。少少溫服之。曰取一升頓服。曰頓服之。調胃氣。蓋於大小承氣湯證。則俱邪熱在於腹裏。而所其異在胃熱盛實。成燥屎。與未至盛實成燥屎。故相對以辨明其所宜用矣。卽與大小柴胡相對。論其證同。唯於調胃承氣湯。則其方雖類。此邪熱專在於胃。乃其用大異于大小承氣故不與論之矣而其攻効俱在大黃餘皆治其標之品也可見雖三承氣功用彷彿其證多端詳按之則各所主用彰彰乎明也古人製劑增減去加煎煮服法悉極精意宜審識之而對證運用矣若邪熱結實於胃而以小承氣攻之則邪氣不服邪熱在於裏而與調胃承氣未至胃實燥結而投大承氣則過傷正氣且不及還可再攻過則不能復救不可不慎矣

陽明病潮熱大便微鞕者可與大承氣湯不鞕者不可與之鞕不鞕者就大便通言之也此先斷大承氣湯之可否于大便鞕不鞕以爲不大便者之

若不大便六七日。恐有燥屎。淇園曰。恐有危疑之意。濟按。此前章大便不通之甚也。乃對上大便微鞕言之。今不大便則知其鞕不鞕無由。然既六七日。則生燥屎。故曰恐有燥屎也。欲知之法。少與小承氣湯。湯入腹中轉失氣者。此有燥屎也。乃可攻之。可攻之。係大承氣湯言之。若不轉失氣者。此但初頭鞕後必溏。不可攻之。攻之必脹滿。不能食也。

按攻之後。不能食則不攻之前仍能食。可得知矣。論曰。反不能食者。胃中必有燥屎也。可見能食者。固非胃中有燥屎。乃雖不大便六七日。但腸間燥結之所致。而亦難辨知。既成燥屎。與未成。因小與小承氣湯以候之也。轉失氣。謂腹中燥結之鬱氣轉放失乎肛門。失氣故屁也。此係腹氣轉言。故曰轉失氣也。今以轉失氣。明燥屎與初鞕後溏者。爲腸間之燥結也。益必矣。欲飲水者。與水則噦。其後發熱者。必大便復鞕而少也。更言發熱者。下後身熱等之表證。一旦罷故也。此亦以發熱察大便鞕。其以小承氣湯和之。不曰少者。以下後不能食故也。

轉失氣者。愼不可攻也。小承氣湯。不可攻也下。諸本皆無小承氣湯四字。爲是。意此林億等之傍注。舛混本文也。

此章言陽明病發潮熱大便微鞕者。邪熱既實於裏而致燥結也。雖微鞕非初頭鞕後溏之比。仍可與大承氣湯下之。若不鞕者。雖潮熱未至燥結。不可與之。若不大便六七日。胃液爲熱乾燥。恐有燥屎。欲知之法。少與小承氣湯。湯入腹中轉失氣者。此少之湯藥不能除燥屎。但鬱氣轉下失此有燥屎也。乃可攻之。若不轉失氣者。但腸中少燥結。因此但初頭鞕後必溏。不可攻之。若誤攻之。則邪熱乘虛。盡入伏於裏。致脹滿不能食之逆變。今胃氣暴虛。而有伏熱。因渴欲飲水。而與水。則水停胃氣逆發噦。其後發熱者。鬱熱加。而發於表。胃氣乾成燥結。必大便復鞕而少也。乃再與小承氣湯以和之。此大便鞕。故重曰不轉失氣者。慎不可攻也。是慎重之意。蓋陽明病者。邪熱附近於胃。因最恐誤下正虛。邪忽內陷。故言及此也。此亦燥屎之一候法。不可不知矣。

夫實則讝語。虛則鄭聲。王宇泰曰。讝語者。謂亂言無次。數數更端也。鄭聲者。謂鄭重頻煩也。只將一句舊言重疊頻言之。終日殷勤。不換他聲也。蓋神有餘。則能機變而亂語數數更端。神不足。則無機變。而只守一聲也。成氏謂鄭衛之聲。非是。劉棟曰。邪熱實於胃中。而有燥屎者。發譫語也。身體虛憊。而邪熱不去退者。致鄭聲也。

鄭聲者。重語也。

此二句。自注之文。脉要精微論云。言而微。終日乃復言者。此奪氣。是鄭聲者。重語之意。

此章單曰夫實則譫語者。承首章胃家實也。今雖係虛實。以辨別譫語鄭聲。然論中但言譫語。而無及鄭聲之義者。因意鄭聲者。從論譫語。而欲明為精虛甚之所致設之名耳。此雖為察虛實之一候法。若惟以語聲定虛實。則反有失其眞者矣。宜審其脉證以施治也。此為下論譫語。先發之也。

直視譫語。喘滿者死。下利者亦死。玉函。下利上。有若字。是。此直視譫語下。分喘滿與下利。故相對曰亦死。

此接前章。而申明直視譫語。喘滿之實。下利之虛。俱爲必死之候也。蓋直視譫語。毒氣急迫於心胸之劇也。而喘滿者。熱氣塡滿。正不勝邪。故主死矣。若下利者。精氣爲毒過格絕。而不守下。胃氣已脫之所致。故亦死矣。

發汗多。若重發汗者。亡其陽。發汗多。謂可發汗。而發汗過多也。重發汗。謂已發汗。而復發汗也。此對發汗多曰若。譫語。脈短者死。脈自和者不死。自脈和者。謂短脈自然和也。故曰自。曰不死。

前章毒氣劇烈故以見證決其死矣此章以發汗亡陽故依脈斷死生矣此亦單曰發汗多若重發汗者承前陽明病脈遲章下云若汗多微發熱惡寒者外未解也言陽明病外邪未解因發汗但以過多若重發汗故徒津脫陽亡而邪熱不徹遂實於裏乃讝語脈短者正虚不勝邪是死之候而此本非邪氣之劇故氣液漸復脈自和者正能勝邪乃不死矣例曰脈陰陽俱虚熱不止者死此之謂也或問審前章及此章讝語亦有虚脫然則夫實讝語虚鄭聲者以何別之答曰邪熱盛實者必讝

語。而虛脫者死。故二章俱曰死矣。雖邪熱不盛實日久不除。精虛甚者。發鄭聲。此極難治。多死矣。以此意辨別之。則虛實自明矣。是所以三章並論也。又問。此篇未論發汗治法。突然言發汗亡陽者何也。曰此卽與太陽上篇。先論太陽病下後之變同義。蓋太陽病者。邪氣專在於表。而有可下之急證。則宜下之。陽明病者。邪熱徑實於裏。而表證未解。則宜汗之。然而於太陽之下也。於陽明之發汗也。最關治術之機變。故特明汗下逆變。以戒其過也。

傷寒。若吐若下後不解。寒邪不解也不大便五六日。上至十餘日。論曰傷寒不大便六七日頭痛有熱者與承氣湯今不大便五六日則雖若吐若下後當議下而不議遂上至二十餘日此示下之遲也日晡所發潮熱不惡寒。初不解之寒既化熱不惡寒也乃獨語如見鬼狀。惟忠曰獨語讝語大同而少異蓋不對人而似有對者此之爲獨語故如見鬼狀也不必對人而妄語喃喃此之爲讝語亦將混鄭聲也若劇者。發則不識人。循衣摸牀。惕而不安。一云順衣妄撮怵惕不安循摩也中篇作揔金鑑云循衣摸牀危惡之候也大抵此證多生於汗吐下後陽氣大虛精神失守經曰四肢諸陽之本也陽虛故四肢擾亂失所倚也春暉曰循衣摸牀者神將去故循摸自護也惕而不安如見鬼狀益甚也微喘直視。前章云喘滿之稍輕也脈弦者生濇者死。前章云脈短者死脈自和者不死之類而此分死生兩道故曰生曰死微者。但發熱讝語者。微者對上劇者也劉棟以微者爲脈狀又曰讝語者之者字當作也字此說非也此微者但發熱讝語但發熱讝語者之略言。而直令連大承氣湯主之句也。大承氣湯主之。若一服利。則止後服。

此承太陽下篇云。傷寒若吐若下後。七八日不解。及前章。而論若吐若下後不解。精虛邪實之劇易。死生。辨治方也。彼熱結在裏而未實於胃。表裏俱熱。時時惡風。大渴舌上乾燥而煩。欲飲水數升。因白虎加人參湯主之。此邪氣既入胃。不大便五六日。上至十餘日。因循失下。乃至熱氣盛實。氣液虛耗。而日晡所發潮熱。不惡寒。獨語如見鬼狀。若邪氣劇者。潮熱發。則正虛不勝邪。虛陽無所依。神明擾亂不識人循衣摸牀怵惕而不安微喘直視是危惡之候當此之際惟診其脈弦者雖病勢劇氣液未全竭得其治之適宜則猶可生矣濇者精氣將竭拔邪無由必死矣若邪氣微者不至潮熱獨語又不加循衣摸牀等證但發熱譫語者雖病勢不甚不大便十餘日則必成燥屎因大承氣湯主之然而此固精虛邪實最恐過劑故一服利則止後服也是峻劑微用之要法不可不慎如法矣今雖不曰屬陽明以上證因胃家熱實乃爲陽明屬證明矣故不言也又按以上三章並辨死生者猶

太陽下篇。先論結胸之死證。蓋結胸胃實。俱毒氣劇烈之所致。乃可速下除之也。不爾則忽敗壞眞氣。若邪氣不除。而眞氣脫。則雖盧扁。亦無所施矣。故先論死生。以諭可急緊也。

陽明病。其人多汗。以津液外出。胃中燥。大便必鞕。鞕則譫語。以多汗。察大便鞕。故極向曰必。小承氣湯主之。若一服譫語止者。更莫復服。成無己曰。亡津液。胃燥大便鞕。而譫語。雖無大熱內結。亦須與小承氣湯。和其胃氣。得一服譫語止。則胃燥以潤。更莫復與承氣湯。以本無實熱故也。

此承前若汗多。微發熱惡寒者。外未解也。及發汗多。重發汗。而論多汗之變也。言陽明病。外未解者。

可發汗也。然不發汗。因汗續出。邪熱入裏。以本多汗。胃中燥。故大便鞕而讝語。仍主小承氣湯。唯陽明熱氣熾煎。熬胃液。故發汗多過則死。多汗亦致大便鞕讝語。是所以於陽明之發汗也。最爲緊要矣。乃與太陽自有表裏緩急之别也。若前陽明病。本自汗出。醫更重發汗。病已差。則與此殊。又按發汗多。及此章。俱承若汗多。微發熱惡寒。而特此章冒陽明病三字者何也。夫發汗多章直接彼章。故單曰之。此隔數章而論。故冒首以符乎彼章。不然則篇章混亂。義難通也。

陽明病讝語發潮熱脈滑而疾者小承氣湯主之按脈滑而疾者熱氣盛於裏血氣弱乃脈氣迫促而失其常度也因若一裏虛則血氣忽澀滯而變見微濇矣因與承氣湯一升腹中轉氣者更服一升若不轉氣者勿更與之即小承氣湯也按轉下並脫失字成本作轉失氣是玉函作轉矢氣非明日又不大便脈反微濇者裏虛也爲難治脈微濇者滑疾之反不可更與承氣湯也

此接前章而更明小承氣湯證且係脈以辨虛實也言陽明病讝語發潮熱者恐有燥屎也然今脈滑而疾者爲邪熱未全入胃府因先與小承氣湯一升腹中轉失氣者有燥屎也此雖有燥屎尚未

可與大承氣湯。可更服小承氣湯一升。以除之。若不轉失氣者。無燥屎。勿更與之。明日又不大便。則脈仍當滑疾。而反見微濇者。是本血氣弱。且因下裏虛故也。邪氣未全除。而裏氣既虛者。正不耐邪。故爲難治。若誤認不大便以爲裏實。更攻之。則必死矣。故重戒曰。不可更與承氣湯也。

陽明病。讝語有潮熱。反不能食者。胃中必有燥屎五六枚也。正珍曰。燥屎五六枚者。以腹診言之。此證診其腹。則必有糞塊五六枚。應於手也。若能食者。但鞕耳。此對上不能食者。胃中必有燥屎言。若能食者。腸間燥結。但大便鞕耳也。此二句斜插。宜大承氣湯下之。

按前章論燥屎在腸間。故候之于轉失氣。此章論胃中燥屎。故察之于食不食也。陽明病潮熱章云攻之必脹滿不能食。則其不攻之前能食也可得知矣。據之則陽明病讝語有潮熱者。亦應能食。而不能食。故曰反。其不能食。胃中有燥屎。不受食也。五六枚。其言大概也。若能食者。胃中無燥屎。但腸間燥結。大便鞕耳。有燥屎者。非下除之則病不解。故曰宜大承氣湯下之也。或問曰。吾嘗聞飲食入胃。蒸熟消化。而生津液。其糟粕傳送。至於腸間。而始成屎。然此云胃中必有燥屎者何也。余曰。蓋腸胃者唯一條膜囊胃之上口從胃管通咽胃之下口即腸之上口腸之下口即肛門也其受入飲食之所名胃傳送其糟粕之所名腸耳故本論中但言胃言腸者稀也是曰胃則腸隨之故也乃此云胃中者必該腸言也不爾則胃中有燥屎五六枚者大戾理矣然而單曰有燥屎者多曰胃中有燥屎者少因知特旌之曰胃中者是暗對腸中而示燥屎上及胃中之變也且夫腸間成屎是平常之事蓋病者變也非常矣況陽明病者熱氣延漫於表裏其熱劇者徑煎熬胃液乃食穀糟粕之在胃

者。亦忽燥結。而不能下腸。因腸間固胃中亦生燥屎也。世有吐糞病者。亦可以知矣。單曰有燥屎者。謂在腸中也。而不言腸者。腸間成燥屎。亦事之常。故不必言也。是故醫者。貴乎通變。能通變。方爲盡善焉。若惟知常。不知變。則何以異於刻舟求劍也。

陽明病。下血讝語者。此爲熱入血室。但頭汗出者。刺期門。隨其實而寫之。濈然汗出則愈。諸本皆寫作瀉。

此章論陽明病。下血讝語之一證也。下血讝語者。此裏熱入血室。血爲之不得順行。頹敗而流腸中。血熱鬱氣逆。乘心之所致。而但頭汗出者。熱隨血除餘邪鬱結於胸脇下。而上氣也。因刺期門隨其實而寫之。鬱結解散。氣液宣通。遍身濈然汗出。則餘邪亦去愈。此與太陽下篇云。婦人中風。經水適來同義。但陽明本熱氣延漫於表裏。故刺後濈然汗出爲異矣。若血下。而邪熱不除。讝語者。則非刺法之所及也。又下血大多者危。宜測虛實。以救療。

汗一作臥。出讝語者。以有燥屎在胃中。此爲風也。按胃中下。折略也字也。不爾則義不通。是釋汗出讝語之因。曰以有燥屎在胃中也。此其源出陽明病。邪氣尚在表發熱惡寒。脈浮而緊。汗出胃中燥。故又斷曰。此爲風也。若以有燥屎在胃中。此爲風也。則與陽明中風。口苦章義大左矣。須下者。過經乃可下之。須下。言待必定下之當下而可下也。下之若早語言必亂以表虛裏實故也錢潢曰若下早則胃氣一虛外邪內陷必至熱盛神昏語言必亂蓋以表間之邪氣皆陷入於裏表空無邪邪皆在裏故謂之表虛裏實也下之愈宜大承氣湯一云大柴胡湯按脈經作屬大柴胡湯承氣湯證

此章申明汗出譫語也不冒首陽明中風而曰此爲風者是直對前章下血譫語論之故先揭證後命名也蓋汗出譫語者熱氣延漫外脫津內乾液胃中忽燥結之所致故曰以有燥屎在胃中也燥屎在胃中胃中燥之甚也風即陽明中風也謂陽明中風口苦咽乾腹滿微喘發熱惡寒脈浮而緊今汗出乃至譫語燥屎故曰此爲風也須下者過

經乃可下之。言雖有燥屎邪氣尚在表未解發熱惡寒脈浮而緊者。待邪過經盡入裏惡寒罷乃可下之也。表解不惡寒者。雖發熱汗出當下也。論曰。陽明病脈遲。雖汗出不惡寒者。其身必重短氣腹滿而喘。有潮熱者。此外欲解可攻裏也。手足濈然汗出者。此大便已鞕也。大承氣湯主之。若汗多微發熱惡寒者。外未解也。陽明病發熱汗多者。急下之。可以知矣。下之若早。謂未過經而下也。讝語者。言語無倫。更曰語言亂者。無倫之甚也。言邪氣尚在表。而汗出者。表陽虛裏陰乾。因下之若早。則表邪盡陷而實於裏。正虛不勝邪。乃心憒憒語言亂。故曰以表虛裏實故也。下後嫌再下。然本燥屎在胃中。今又裏實。非下不愈。故曰下之愈。宜大承氣湯。此雖燥屎在胃中。其證劇。本是由中風邪氣進緩鬱熱直發於表。汗出胃中燥致之。故曰須下。曰過經乃可下。曰下之若早。曰下之愈。或問曰。以汗出譫語。爲中風。則陽明病。其人多汗。以津液外出。胃中燥。大便必鞕。鞕則譫語。小承氣湯主之。是亦爲中風歟。答曰夫所以爲風者。非止汗出譫語。必有發熱惡寒也。而不言之者。依陽明中風章略也。

不爾則若夫發熱汗多者。急下之。以何辨別之乎。是以無惡寒。故急下之也。彼章則欲明胃中燥。大便鞕之因。而曰其人多汗。津液外出也。非現有多汗及表未解之證。故方後曰。若一服讝語止者。更莫復服。此曰汗出讝語者。是就現在。而主言之也。宜玩味文意。以知彼則不爲中風矣。

傷寒四五日。脈沉而喘滿。沉爲在裏。而反發其汗。津液越出。大便爲難。表虛裏實。久則讝語。方有執曰。越出。謂枉道而出也。濟按。沉爲在裏句。是斜插。傷寒比陽明病。則熱勢自緩。故曰久則讝語。

此章更論傷寒誤汗。表虛裏實讝語也。言傷寒四五日邪氣將入裏時其脈沉而喘滿者邪旣入在裏也而反發其汗津液越出而表陽虛裏液乾而熱實大便爲難若裏實久不除則熱氣益加遂至發讝語此與傷寒若吐若下後不解不大便五六日上至十餘日章病機相類宜併考

三陽合病蓋太陽病者陽氣盛寒熱相搏於表乃頭項强痛而惡寒陽明病者陽氣極盛熱氣延漫於表裏乃胃家實少陽病者陽氣衰少熱氣難表發而鬱於胸脇乃口苦咽乾目眩三陽合病者謂三陽病證合發如偶足也然而非一時致之又非其證悉具但一二兼見也今夫若斯則陽氣之盛衰其體容微細而至難辨別矣便診視病者就其見證以勘合定之可也爾則陽氣之盛衰亦從之得分明焉

腹滿身重難以轉側口不仁面垢又作枯一云向經難轉側因腹滿身

重。故加以字。垢者。脂液爲熱。浮著於皮表故也。正珍曰。不仁。寒熱痛癢。并不知覺之名。或口不能言語。或口不覺寒熱痛癢。或口不能辨五味。皆謂之口不仁。豈唯不知味一事爲然乎。讝語遺尿。發汗則讝語。玉函有甚字。是下之則額上生汗。手足逆冷。方有執曰。生汗。汗生不流也。濟按此亦脂液越出也。若自汗出者。此對上文下後之逆變而言自汗出者。故曰若。白虎湯主之方

知母六兩　石膏一斤碎　甘草二兩炙　粳米六合

右四味。以水一斗。煮米熟湯成。去滓。溫服一升。日三服。

此承前下之若早。反發汗之二章。而論三陽合病。誤汗下之變。而明下後之治方也。蓋三陽合病者。

邪氣在表裏內外鬱閉精氣不通因見腹滿身重難以轉側口不仁面垢譫語遺尿證此皆陽明證也如太陽少陽證則今略之所以然者以主陽明而舉此篇故也若欲解其表發汗則津液虛耗裏熱益加譫語甚若欲攻其裏下之則陽氣內陷毒氣上攻額上生汗手足逆冷若其逆變不甚陽氣復逆冷愈而自汗出者內結因下除內外氣通鬱熱將發而不能發也故白虎湯主之以解熱結在裏潤燥則邪熱表散而治矣傷寒脈滑而厥者裏有熱白虎湯主之之類也三陽合病禁汗下者何

蓋太陽與陽明合病者。主太陽。以發汗。太陽與小陽合病者。主少陽。以和解之。陽明少陽合病。脈滑而數。有宿食者。主陽明。以下之。唯太陽戒下。陽明戒汗。少陽嚴禁汗吐下。而專事和解。是少陽者。陽氣衰少。邪熱鬱於胸脇。口苦咽乾。目眩故也。此所以三陽合病禁汗下也。或曰。三陽合病。禁汗下。則以何治之乎。曰。下後自汗出者。主白虎湯。據之則初見腹滿以下證者。亦屬白虎湯證矣。雖然本論。舉諸證雜出。及逆變而不處方者。必有待證定之意。是故後出其治方者多矣。乃妄不可議之精究通卷脈證治法。則自然得證治協適焉。

二陽併病。太陽證罷。但發潮熱。手足漐漐汗出。大便難。而讝語者。柯琴曰。太陽證罷。是全屬陽明矣。先揭二陽併病者。見未罷時。便有可下之證。今太陽一罷。則種種皆下證。下之則愈。宜大承氣湯。

此就三陽合病。不可汗下。而論二陽併病。太陽證罷者。宜下之義也。言二陽併病。若太陽證不罷者。不可下。下之為逆。如此可少發汗。今太陽證罷。但發潮熱。手足漐漐汗出。大便難。而讝語者。陽明胃實之證具。乃宜大承氣湯。二陽併病。於太陽篇。則專云可發汗。因今雖太陽證罷。尚嫌未可下。故曰下之則愈。宜大承氣湯。蓋太陽證罷。則此但陽明。故舉之於此篇。太陽之發汗。陽明之攻下。相照以互明其義也。

陽明病。脈浮而緊。咽燥口苦。腹滿而喘。發熱汗出。不惡寒。反惡熱。身重。惡熱者。惡寒之反。言惡被覆熱物也。脈浮而緊。發熱汗出者。雖不惡寒。猶當未至惡熱。而惡熱。故曰反。若發汗則躁。心憒憒。公對切反讝語。憒憒。心亂也。發汗不徒無益。反使之增讝語。故曰反。若加溫鍼。必怵惕煩躁不得眠。怵惕。恐懼之貌。若下之。則胃中空虛。客氣動膈。心中懊憹。舌上胎者。胎。千金翼胎上有白字是也。錢潢曰。舌上胎。當是邪初入裏。胃邪未實。其色猶未至於黃黑焦紫。必是白中微黃耳。梔子豉湯主之。方

肥梔子十四枚擘　香豉四合綿裹

右二味。以水四升。煮梔子。取二升半。去滓。內豉。更煮取一升半。去滓。分二服。溫進一服。得快吐者。止後服。此與中篇所舉。文少異也。今作快吐者。非

若渴欲飲水。口乾舌燥者。白虎加人參湯主之方此對上梔子豉湯證。更論下後之一證。故曰若

知母六兩　石膏一斤碎　甘草二兩炙　粳米六合　人參三兩

右五味。以水一斗。煮米熟湯成。去滓。溫服一升。日三服。

若脈浮發熱。渴欲飲水。小便不利者。猪苓湯主之方

此復擧下後一證。故曰若。玉函陽明病以下。至猪苓湯主之。乃爲一章。今此以記方。故分爲二章也。

猪苓去皮　茯苓　澤瀉　阿膠　滑石碎各一兩

右五味。以水四升。先煑四味。取二升。去滓。內阿膠烊消。溫服七合。日三服。千金翼作猪苓去黑皮。

此章論陽明病汗下溫鍼逆變。明治方也。脈浮而緊。咽燥口苦。腹滿而喘。發熱汗出。不惡寒反惡熱身重。是似三陽合病。然不惡寒反惡熱者。不外于陽明。故標曰陽明病。又與陽明中風脈證同。而不惡寒惡熱身重。則非中風證。今雖惡熱。未至潮熱譫語。可以知其未胃實也。因若發汗。則徒亡陽津耗邪熱進實於胃正不勝邪乃致躁心憒憒讝語若加溫鍼亡陽殊甚邪氣暴動氣血爲火熱錯行必怵惕煩躁不得眠若下之則雖大邪除胃中空虛客氣動膈心中懊憹舌上白胎者餘邪逆鬱於胸中也乃梔子豉湯主之得微吐以去之矣若渴欲飲水口乾舌燥者徒裏液損耗而邪熱不除鬱結於心下而逼于胃之所致乃白虎加人參湯主之以解熱結潤燥渴矣若脉浮發熱渴欲飲水小便不利者邪熱下及膀胱氣液不化水道爲之不得通暢水停故也乃猪苓湯主之以和氣液利小

便矣。此誤治變證。分配于三焦。而辨之。所謂觀其脈證。知犯何逆。隨證治之之義也。然而三陽合病。及此章。俱於下後之變證。則悉論其治方。於發汗溫鍼之變。不言治法者何。蓋以陽明病者。主胃家實。而專論下藥故也。又按白虎加人參湯猪苓湯。俱云渴欲飲水。不可不詳辨焉。蓋白虎加人參湯證者。熱結在裏。表裏俱熱。口乾舌燥。欲飲水數升。猪苓湯證者。脈浮發熱。小便不利。而不至口舌乾燥。煩熱大渴。此其所異也。又猪苓湯大類似五苓散證。而最難分別矣。五苓散云。脈浮小便不利微熱消渴及煩渴是寒邪尚在表而微熱微惡寒者也故方後曰多飲煖水汗出愈猪苓湯者邪熱淺雖脈浮發熱不惡寒小便不利更甚故次章建以汗多胃中燥猪苓湯利其小便之戒矣是故五苓散於太陽篇專論之猪苓湯始舉於此也

陽明病汗出多而渴者自前陽明病其人多汗來言胃中燥而渴者也不可與猪苓湯以汗多胃中燥猪苓湯復利其小便故也

此就前章猪苓湯證之渴欲飲水申明雖渴不可與猪苓湯者也靈樞五癃津液別云水穀入于口輸于腸胃其液別爲五矣天寒衣薄則爲溺與氣

天熱衣厚則爲汗悲哀氣并則爲泣中熱胃緩則爲唾邪氣內逆則氣爲之閉塞而不行不行則爲水脹是汗溺一液也今陽明病熱氣延漫津液越出汗多胃中燥而渴者或小便不利猶屬白虎加人參湯證矣猪苓湯者治渴欲飲水小便不利有停水者以利水爲之功因復與猪苓湯利其小便則更損耗津液而增燥渴故不可與也

脈浮而遲表熱裏寒下利清穀者四逆湯主之方

甘草二兩炙　乾薑一兩半　附子一枚生用去皮破八片

右三味以水三升煮取一升二合去滓分溫二服强

人可大附子一枚乾薑三兩

此對前章陽明病脉浮緊而舉脉浮而遲者蓋脉浮緊者邪熱在於表裏也今脉浮而遲者浮熱在於表遲寒在於裏也表熱者猶屬陽明而裏寒者非陽明證故單曰脉浮而遲即與前所謂陽明病脉遲亦自有所異焉脉浮表熱者按可知之裏寒者難得見以脉遲可知也故依脉法曰表熱裏寒今雖表熱下利清穀者裏寒既甚也仍四逆湯主之以專溫散裏寒矣裏寒下利清穀者固非陽明證然而揭出於此篇者脉浮表熱者所謂陽明中

風發熱惡寒。脈浮緊之類。而似陽明邪熱尚盛於表。宜發汗。論曰。陽明病脈浮。無汗而喘者。發汗則愈。此脈遲。裏寒下利清穀者。不可發汗也。論曰。下利清穀。不可攻表。汗出必脹滿。故特揭之於此。以辨寒熱疑途。且與脈浮緊。邪熱盛於表裏者發汗則躁心憒憒反讝語相照。示表裏俱熱者。宜清解。表熱裏寒者。宜溫散也。又此似少陰病下利清穀裏寒。外熱。通脈四逆湯證。然脈浮者表熱。乃非少陰裏寒。專者。故不曰外熱。而曰表熱也。方有執曰。此疑三陰篇錯簡。非是。

若胃中虛冷。不能食者。飲水則噦。

此即前章脈遲裏寒。而更明若胃中虛冷。不能食者。飲水則發噦。且對燥屎在胃中。不能食者。辨虛實也。夫胃氣壯。則穀消而水化。胃中虛冷。則穀不消而不能食。既不能食者。飲水則水亦不化。水寒相得。胃氣阻隔。逆乃噦也。

脈浮發熱。口乾鼻燥。能食者則衄。能食。與前章不能食反對。而示胃中無虛冷。及燥屎之患。非因能食。而致衄也。

此亦即前章脈浮表熱。而更明脈浮發熱。口乾鼻燥。能食者。則發衄也。邪氣盛鬱於肌肉及裏。而經氣熱。口乾鼻燥。能食者。則血爲熱沸逆。乃衄也。二章。言唯裏寒之變。則至噦。唯表熱之變。則至衄。故亦單曰若胃中虛冷。曰脈浮發熱。卽表熱裏寒之餘論。

陽明病下之。其外有熱。手足溫。不結胸。心中懊憹飢不能食。但頭汗出者。梔子豉湯主之。

此承陽明病脈浮而緊章下云。梔子豉湯證。且對胃中燥屎。胃中虛冷。不能食。更明飢不能食者。而起下邪熱鬱於胸脇。小柴胡湯證。故擧之於玆也。

言陽明病。邪熱在表裏者。下之。表熱乘虛盡內陷。

心下因鞕則爲結胸大陷胸湯主之今其外有熱手足溫者熱氣伏不表發而又不內陷乃不結胸心中懊憹飢不能食但頭汗出者是因下大邪去胃中空虛客氣動膈餘邪鬱於胸中之所致仍梔子豉湯主之

陽明病發潮熱大便溏小便自可王宇泰曰陽明爲病胃家實也今大便溏而言陽明病者謂有陽明外證身熱汗出不惡寒反惡熱也胸脇滿不去者與

小柴胡湯方

柴胡半斤　黃芩三兩　人參三兩　半夏半升洗　甘草三兩炙

生薑三兩切　大棗十二枚擘

右七味。以水一斗二升。煮取六升。去滓再煎取三升。温服一升。日三服。

此承前章陽明病潮熱。大便微鞕者。可與大承氣湯。不鞕者。不可與之。而論之也。陽明病發潮熱。爲胃實大便鞕而小便數。今大便溏。小便自可者。是其人以腹中有瘀水。乃爲邪熱被壓下。故使不爲燥結也。卽大便初頭鞕後必溏。不可攻之甚也。邪熱不結實。漸從大小便除者。則胸脇滿亦應去。而不去者。邪熱鬱於胸脇之甚也。因知潮熱者。胸脇鬱熱之所致。仍與小柴胡湯以治之矣。卽傷寒十三日不解。胸脇滿而嘔。日晡所發潮熱。此本柴胡證之類也。

陽明病。脇下鞕滿。不大便而嘔。不大便。對前大便溏。而言也。邪氣在於脇下鞕滿。不大便者。毒氣逆而嘔。故曰不大便而嘔。舌上白胎者。可與小柴胡湯。上焦得通。津液得下。胃氣因和。身濈然汗出而解。可見梔子豉湯。舌上白胎同。然其病毒所在之證異。則治方亦隨異矣。

此承前章。而更論此一證也。言陽明病。脇下鞕滿。不大便而嘔。此亦似應攻下。而舌上白胎者。非邪熱實胃。尚在於胸脇。而氣液蒸騰。不降之所致。仍與小柴胡湯。胸脇鬱結開散。則上焦精微之氣得

通津液得下胃氣因和邪熱忽發於外身濈然汗出而解也所謂與柴胡湯必蒸蒸振卻發熱汗出而解與此粗同而此陽明故解以濈然汗矣

陽明中風脈弦浮大而短氣腹都滿謂通腹滿也此腹滿至甚也脇下及心痛邪氣結於脇下痛及心也久按之氣不通久按之腹氣不通也鼻乾不得汗陽明中風法當汗出而不得汗也論曰汗出譫語者以有燥屎在胃中此爲風也可以證嗜臥一身及目悉黃小便難玉函目上有面字是嗜臥者外已解也太陽病十日以去脈浮細而嗜臥者外已解也即是有潮熱發熱變潮熱至此外解而不惡寒可推知矣時時噦腹氣不通故也耳前後腫刺之少差是由鼻乾不得汗發也少差言腫減也刺法爲救其急兼施也即太陽病初服桂枝湯反煩不解者先刺風池風府之類

按以上證治方屬茵蔯蒿湯。此爲後論發黃之地。外不解。病過十日。脈續浮者。與小柴胡湯。外者。謂半在裏半在外之外。不解。謂邪氣在外。乃往來寒熱等證不解也。續浮。言雖過十日。脈不變。仍弦浮大也。而今略但舉浮者。欲專示不外不解也。以下文云但浮可見矣。

脈但浮。無餘證者。與麻黃湯。脈但浮者。病專在於外。乃發熱惡寒也。無餘證。謂無上文所舉之裏證也。是以陽明中風。其脈證不變者言也。若不尿腹滿加噦者。不治。不尿小便極不通之謂。即小便難之甚也。加噦時時噦之增劇也。若以下是此餘波。成無己曰。若不尿腹滿加噦者。關格之疾也。故云不治。難經曰。關格者。不得盡其命而死。

麻黃湯方

麻黃三兩去節　桂枝二兩去皮　甘草一兩炙　杏仁七十箇去皮尖

右四味。以水九升。煮麻黃。減二升。去白沫。內諸藥。煮取二升半。去滓。溫服八合。覆取微似汗。

此承前章陽明中風口苦咽乾腹滿微喘發熱惡寒脈浮緊而辨其邪氣既犯於裏者外不解者邪專在於外者之變脈證論治方也脈弦浮大而短氣腹都滿脇下及心痛鼻乾不得汗嗜臥一身及面目悉黃小便難有潮熱時時噦耳前後腫者邪氣既犯於裏三焦閉塞而氣不通熱瘀鬱而不能發越逆流注於經脈其所過血液凝結之所致乃刺之氣瀉則腫少差也此亦雖潮熱不至胃家實也外不解病過十日脈續弦浮大者邪氣半在裏半在外也故與小柴胡湯以解胸脇鬱結則上焦

得通。津液得。下胃氣因和。中下二焦之氣。亦隨通。身濈然汗出。小便利而愈。又雖過十日。脉不弦大。但浮。無餘證者。邪氣仍專在外也。故與麻黃湯以發汗則愈。是以中風者。邪氣淺緩。鬱熱速表達。故於陽明亦然矣。若經日之間。不得其治之宜。精氣衰。邪氣益進。三焦遏絕。而胃氣逆。不尿腹滿。加噦者。邪勝正。故爲不治也。此舉小柴胡湯以總結自三陽合病以下。邪氣在於裏。未至胃實。及尚兼表之數章焉。舉麻黃湯。以爲後論可發汗者之根基也。又按此與太陽病十日以去章粗同意。宜併考。